Till then
han han

告白与告别

韩寒 / 著

《后会无期》摄制组 / 编

北京联合出版公司

"我们是在拍电影
不是在拍马屁"

在我很小的时候，我有四个梦想，第一就是要当一个科学家，第二就是要当一个好的作家，第三是成为一个冠军车手，第四就是拍电影。我的第一个梦想，在我高中数学不及格以后就破灭了；第二个梦想是十七岁的时候开始，那时候我开始出版，开始写作，后来我发现我的盗版书卖得比正版书多的时候，我知道那个梦想基本上算成功了；后来我又去参加了职业赛车，我记得人生的第一场比赛是特别矬的，因为第一个弯就倒了一把车，但是十年以后我获得了七个年度总冠军，朋友看到我，他们都拍着我的肩膀竖起大拇指说："哎呀，中国职业赛车的水平原来这么低啊！"其实真的不是，我们的职业赛车水平，真的要比我们的男足强多了，至少我们不怕韩国队。

有的时候新人入行，尤其是外人入行，的确会有一些很不一样的眼光，异样的眼光。但我觉得这些都特别正常，因为你没有证明自己的胆量，你就不要去怪别人异样的眼光。假如现在邓超或者陈思诚，对我说你们想来参加赛车，我心里肯定会想："你们行不行啊？"对不对？但是我嘴上一定会祝福你们的。因为外行和内行、新人和老人、跨界和不跨界，不重要，只有做得好与不好、专业与不专业。

回到电影。我小的时候看《成长的烦恼》，那个时候我就有当导演的梦想。我算是国内第一批追美剧的人，但是到后来，那时候还是录像带，有一个夜晚我连续看了四部电影，就是《终结者2》《真实的谎言》《生死时速》，还有《侏罗纪公园》。我当时就想：算了，我还是不当了！经过了十几年，我看到了很多的烂片，我才找到了信心。

这部《后会无期》，我们筹备了大概一年左右，我自己为此准备得更久。我觉得这个世界上没有什么毫无道理的横空出世，真的，如果没有大量的积累、大量的思考，是不会把事情做好的。如果什么都不懂还能获得成功，只有去赌今年的世界杯。总之，在经历了这部电影以后，我觉得我要学的太多了。这世界上有太多的能人，你以为的极限，弄不好只是别人的起点。所以只有不停地进取，才能不丢人——人可以不上学，但一定要学习，真的。我的高中老师如果听到我现在这么说，他们一定会很欣慰的，但当时我就是这么想的，他们没有懂我。

电影应该和观众在一起，但这并不意味着我们要迎合观众，去讨好观众，去研究他们喜欢什么，然后去拍什么。因为一部电影从策划到上映，要经过一年多，那时候，

iPhone6S 都已经出来了。所以我觉得很多年轻的导演，我们并不是投观众的所好去拍摄，而是和观众们在一起成长，大家一起感知这个时代的变化，所以观众喜欢他们。观众是一个非常大的群体和概念，照顾了那头，你就照顾不了这头。过于研究他们在想什么，最后你连自己在想什么你都不知道了。有这个功夫，还不如让自己感知得更多，做得更好。总之，今天我们站在这里，我觉得我们是在拍电影，不是在拍马屁。

现在的中国电影真的在一个很好的时期。我遇到了好多做影视的朋友，他们开口全都是十亿啊十亿啊，常有人问我："你缺钱不缺钱？"这要在几年前，只有向我借钱的人才会这么问我，但现在大家都非常地狂热，我觉得越是在这样的环境下，可能我们越是要冷静一些。大家都在看着那些成功的，忘却了那些百分之九十九的失败的，或者是做得很优秀的但票房很一般的那些电影。

有人说，这是一个台风来了猪都能飞的时代。但是，我不希望自己是猪，因为风停了，我们就摔死了。我也不奢望自己是风，我希望我们是一棵全天候的树，可以杵在这里。总之，和观众在一起。但是大家都很聪明，他们接触很多新的东西，所以对我而言，做好我自己就是和他们在一起。怎么拉票其实不重要，我觉得对得起他们买的票才重要。

最后，我要感谢和我一起努力的电影工作人员们，我的读者朋友们，还有这么多优秀的年轻导演们。谢谢你们，是你们的进取、你们的成就，让我今天在做我自己第一部电影的时候，可以获得更大的自由。

01　趴在地上的战地记者韩寒拍到了这个
/ by 韩寒

part 1

告白与告别

韩寒

---

p1
开始

＼

p4
又一次开始

＼

p14
筹备

＼

p20
岛屿

＼

p32
延迟

＼

p36
第一天的励志故事

＼

p50
最后

---

part 2

十四个关于

访问整理

p67
关于拍电影

╲

p69
关于小说改编电影

╲

p71
关于剧本

╲

p73
关于《后会无期》

╲

p75
关于爱情戏

╲

p77
关于票房

╲

p79
关于演员

十四个关于

访问整理

p81
关于当导演

p85
关于拍摄

p87
关于主演肖像照

p91
关于看电影

p93
关于他人的眼光

p95
关于悲催的第一镜

p97
关于对自己的新认识

p98
说演员

part 3

《后会无期》诞生史

《后会无期》摄制组

p120
筹备

＼

p135
画面

＼

p155
拍摄

＼

p185
声音

＼

p197
后期

＼

p205
分镜表

＼

p210
大事记

告白与告别

韩寒

"   开始   "

0 km - 上海

在我很小的时候，家里新买了录像机，同时来的还有四盘录像带，我几乎用一天时间看完了这四盘带子，分别是《真实的谎言》《终结者 2》《生死时速》《侏罗纪公园》。

就算是成年人，在那个年代，看到其中之一，也足以震撼回味很久，更何况一个少年在一夜之间完成了这些。缓了一阵子以后，我开始去找各种好莱坞大片。后来发现，在第一个晚上，我所看到的已经是最好的。

反正常常是这样，你其实已经在第一把触摸到几乎最好的东西了，但因为它来得太早，所以你还在不断找寻，总觉得自己不应该这么轻易得到。好在看电影这东西不像其他，得到的不太容易再失去。补一句题外话，很多人都是在自以为骑着驴找马的过程中把自己胯下那匹真正的好马给放走了。对于那些骑马找马的人，只能说，珍惜"裆"下。

当然我们全家还追剧，从国产电视剧《封神榜》《西游记》开始，到《成长的烦恼》。想想我们这个年代的孩子的确是第一批追美剧的人。我记得很清楚，在《成长的烦恼》里，迈克的梦想就是要当一个演员，现在迈克已经 40 多岁了，和剧中的恋人凯特结婚，生了两个孩子，收养了四个。

好的影视作品总是拥有在短时间内篡改时空的效果。当然，好的文字也拥有这样的魔力。大约十几年前，我出版了第一本小说《三重门》。从那时候起，我拥有了用文字生造一个短暂永恒的世界的能力。当然，每个人都有这个能力和权力，不一样的地方是有没有其他人观看和进入到你的世界里。就这样，一直到《1988：我想和这个世界谈谈》，我在写作时常常在脑海中放映书中画面。写到投入时，甚至主角会跳脱出来，对你说："哥，这几句我的对话太酸了，能帮我换一下吗？"

大概六七年前，我就开始希望自己拍电影。这个并没有什么稀奇的。写作者当车手这个不多见，但几乎所有的文艺工作者都对电影非常热忱。当我说我要拍电影时，很多人表示想跟组，哪怕打杂都行。人们管这个叫电影梦。当然，我还是要建议大家，其实没有任何必要去跟组，剧组乃是非地。除非你做好了为理想为挚爱打拼的打算，否则的话，如果你喜欢它，就敬而远之吧。远远看着，淡淡想着，可能比顺势插入更美好。

"又一次开始"

2411 km - 西昌

拍电影和写小说不一样，写小说你的成本就是电费，至多加上一台电脑。如果不考虑顺便打游戏，两千块钱和一些空闲时间，足矣。拍一部电影需要数百倍的费用。在几年前，我就为钱犯愁过。当时我构思了一个剧本，就开始了漫长的寻找投资之路。那个时候数码技术没有这么成熟，我又对影像有要求，一定要用 35 毫米胶片拍摄，所以里外里最少也需要五百万元。这还不算演员。这五百万是我一拍脑袋算出来的，事实上可能还不止。

那个时候，我已经有些名气，算是畅销书作家，所以在去谈投资的过程中，我不太会吃闭门羹，只是被婉拒而已。大部分人的观点是要不你来编剧，或者提供小说版权，我们来请导演。我没有答应，因为我始终觉得，我的叙事风格可能只有我自己拍得出来。

最早答应可以投资这部电影的是罗昭行先生——一位生意人，但是很喜欢冒险与文化。他给了我十万元作为启动资金，我笑纳了。对于我而言，并不是缺十万，而是这笔钱代表着真正开始拍摄和投入资金的时候有了后续保障。毕竟那个时候我的私人账上只有二十万元。如果我有足够的钱，我一定会自己投资自己，哪怕我一点都不懂所谓的发行宣传。我坚信不迈腿就不会走路，不走路就永远走不到路。

那天晚上我很激动。我对女朋友说，我搞定了。

后来橙天娱乐的杨烨女士也加入其中，给了我很多帮助。他们都是最早信任我的人。但这个项目没有进行下去。原因很简单，剧本不够好，无法自圆其说。无法自圆其说和独立风格是两回事情。风格化的意思是我能另辟蹊径自圆其说。我判断一个作品"出问题"和"有个性"的方法很简单，就是有没有说服力。如果很多环节都没有说服力，那就是出问题，相反，就算不循规蹈矩，但有说服力，就是风格。

很明显，那个故事没有说服力。经过了不少论证以后，我放弃了。后来陆续出版了《他的国》《1988：我想和这个世界谈谈》。在每次提笔开始写的时候，我都希望自己可以把它们拍成电影，但在写完以后，反而失去了冲动，可能太多时间与这些人相伴，在我脑海中，他们已经能够长好了，我不愿意再重复自己，只是换一种表达方式。再加上很多客观条件以及外界环境的限制，一直就没有能够开机。到现在，我只想说，远在美国的罗先生，我委托不少朋友打听你的联系方式，看到文章请联系我。另外，在两年多前，你曾经联系过我一次，说你打听到一件事情，我当时还乐呵呵告诉你，肯定不会的，就算对方企图通过剪辑手段来操作，恐怕都剪不出来，何况我身正不怕影子歪。后来证明，你说的是对的。这件事情也让我知道了剪辑的威力，所以我这部电影有三个剪辑组，并邀请了国内最好的剪辑师。这也算是教训照进现实。

01 泥地里，踌躇满志的导演韩寒与小摩托 / by 李佳鸢

02 导演你从风里来，就不要停下脚步 / by 李佳鸢

03　画面中间的是现场副导演刘作涛 / by 李佳鸢

04　摄影师廖拟 / by 李佳鸢

01 摄影师廖拟指挥若定 / by 李佳鸢

01 ＼

01   导演正在和陈柏霖讲眼神的位置 / by 李佳鸢

02　东海大桥上，韩寒、高华阳、冯绍峰、陈柏霖合影 / by 王冠英

"

筹备

"

5022 km - 舟山

认识《后会无期》这部电影的制片人方励是在数年前。那时候我给《观音山》的主题曲填词。我听说是范晓萱编曲，就答应了。毕竟我人生的前两盘磁带就是范晓萱的《好想谈恋爱》和张信哲的《挚爱》。老方是个很有意思的人，一直在思考问题，好点子和馊主意都不少，且精力充沛。《后会无期》的筹备就是在他的影视公司办公室。还有我一直以来图书上的合作伙伴路金波，和熟悉的人合作总会更有安全感一些，反正都知道大家的优点缺点，省去了再去了解人的过程。

认识一个人，了解一个人，到最后告别一个人，对我来说真的是一个痛苦的过程。我总是希望自己尽量少地认识人，尽量少地把自己的喜怒哀乐都建立在其他个体身上。无论对感情和朋友都是如此。我会非常礼貌，虽然我经常迟到，我也希望能照顾到大家的情绪感受，但我不希望和他们太过交心。从小到大的很多经历告诉我，这个世界上，除了自己，除了至亲，没有人在乎你的痛苦。你能让大家高兴就行了，或者无感地存在也是个好方式。但你如果太在意自己的痛苦，或者太想让他人在意你的痛苦，只会让自己陷入被忽略的痛苦，甚至是表演痛苦的痛苦。

　　不好意思，以上插入了一段无关主题的感慨。但这个感慨的核心思想是，无论你怎么与他人控制距离，你依然会失去控制，因为这个世界上总有人能让你乖乖交心和伤心。当然，这不是指这部电影里合作的朋友们，而是指生命里互相陪伴的爱情。

　　题外话终结。和他们两人的合作有矛盾也很顺利，在关键时刻，我们更是一心努力。这和剧组前期后期的朋友们都分不开。《后会无期》筹备了不少时间，而且我们项目开始得早，几乎每一天都在花钱。美术组已经去看景置景，但那个时候，连剧本都还没出来。从九月份一直到一月份，我一直在纠结剧本设置。大家也只能等待，除了偶尔开几次剧本会。其间，我改变了自己的星座，从天秤座迁徙到了处女座，也是因为我觉得自己太磨蹭了。

　　剧本会也很有意思，大家常常拍案叫绝，然后总有一个声音在角落暗暗响起，说，这个不对啊，里面有说不通的地方。然后就是长久地垂头丧气。演员的选择也很让人头大。大家用嘴拍摄了数百部电影，我的剧本工作还是停滞不前，因为我没有找到感觉。

写剧本的确是很苦恼的一件事情。我写文字最无法忍受的就是枯燥，如果有一页没有弄出点花来，我会很难受。剧本不一样，写剧本和写说明书没啥区别。我要强忍各种修辞手法和有趣描述的涌出，还得把一些东西写到工作人员都能明确看明白并执行。看着那些毫无文采的文字，很快我就会恶心自己了。由于对剧本写作手法的先天排斥，我不愿意让剧组的人看剧本，并且索性把剧本改成了工作本。这导致很长一段时间，剧组工作人员都无本可看。这可能是一个太爱游戏文字的写作者的怪癖。给演员的剧本也是如此，有的我给了局部，有的我使用口述，有的我给了分镜图。

我清晰记得剧本完工的那一天，在北京的一个酒店，凌晨五六点，我写下最后一笔。虽然只有两万字，但比完成一本长篇小说还要轻松。这种轻松非常奇怪，因为一部长篇小说是一段苦日子的终结，而一部剧本是一段苦日子的开始，但就是异常轻松。我绕着酒店的走廊溜达了十几圈，点了一碗红烧牛肉面，看了一集《绝命毒师》。

其间，朋友打了个电话过来，说他看完了全部的《绝命毒师》。我说不要剧透。他说好，反正这一季是最后一季了，他肯定不会剧透。我很生气道："你这不就剧透了吗？如果主人公不死，你怎么可能斩钉截铁说这是最后一季？"无可否认，经过一次完整的编剧过程后，我对剧作的理解更加深厚了。

这是我们台湾造型组张丞宁和她的百宝袋
/ by 李佳鸾

" 岛屿 "

5324 km - 上海

　　在《后会无期》这个故事里，我们模糊了地域，唯独设置了一个起点。这个起点就是中国很东边的一个岛屿，故事将从那里开始。好奇使然，我索性了解了一下中国最东边的岛屿究竟在哪里。如果条件和风景允许，就去那里拍摄得了。当然，中国最东边的岛是钓鱼岛，但因为那里没有住民，我们也不可能去那里拍电影，所以就跳过了。那我们寻找的目标就是中国最东边的住人岛屿了，或者说大陆最东边的住人岛屿，很快我就找到了东极岛。

　　事实上，景是可以借的，毕竟我们拍摄的是电影不是纪录片，甚至海南岛的某些景色合适，我们都可以在那里取景。抱着去实地看看的想法，我们先后去东极岛勘景了几次，觉得合适，就定下来在那里拍摄了。所谓的东极岛，其实由四个岛屿组成，主岛是庙子湖岛，旁边是青浜岛，因为建筑沿坡而建，远看有点像布达拉宫，还被称为海上布达拉宫，最远处也就是最东边的叫东福山岛，那里号称是能看到我们国家在太平洋上第一缕阳光的地方。

　　前期筹备比较艰难。在海岛上拍摄很不方便，运输和生活都有一定问题。大家都很敬业，来自韩国的特效和翻译尤其敬业，在拍摄计划里看见了"海上布达拉宫"六个字，自己脑补了一下，并做了策划，分析了究竟把布达拉宫合成到太平洋的什么地方合适。

我们先是在那里完成了试片，太平洋的日出的确非常漂亮。

当时深秋，曼延的海边悬崖是一片金黄色的植被。主创们把这片地方命名为"金毛背"，决定开篇就在金毛背上拍摄。工作人员看到我们要拍摄金毛背，非常激动，告诉我们他家里那条狗毛色特别好，如果剧组需要，随时可以运来。

到了真正拍摄的今年五月份，天气非常糟糕，植被变成了绿色，金毛背也变成了龟毛背。东极岛上每天大雾大浪，能见度经常只有三十米。我们从西昌转了几千公里，到了舟山，坐船三四个小时，来到一个小岛，却遇上连日大雾。硬着头皮拍了几镜，感觉和在北京朝阳公园拍出来的效果没什么区别。好多同志在岛上的海景旅馆待了好几天都没看到大海。

于是我修改了剧本。你们现在看到的成片开头就是剧本修改以后的结果。这里就不先剧透了。但我在岛上待着待着突然想到一件事情——这个岛叫东极岛，难道它就非得是最东边的岛吗？其实纠结这个没有什么太大的意义，毕竟我们不是在拍国家地理，我们拍的是一个虚构故事。但自从我转投处女座以后，一种责任心告诉我，一定要弄明白这件事情。事情还真被我弄明白了。其实东极岛不是最东边的岛屿，真正最东边的是嵊泗岛，东极岛在东经124°45，而嵊山岛是东经124°49。这个故事告诉我们，取名字是多么重要。

我给剧本里的"东极岛"写了一首岛歌，用于电影中。曲子来自我非常喜欢的一部电影——《波拉特》。我填了歌词。这首歌曲如洗脑般风靡了剧组的主创，大家纷纷表示，自己在洗衣服、工作、泡面、××等时都会情不自禁地哼唱起来。

东极岛啊 / 你人杰又地灵 /
太平洋的风儿最先吹到你 /
东极岛 / 东极岛 /
大陆最东的岛屿 /
海浪都来亲吻你 /

鱼儿都来拥抱你 /

东极岛 / 你是人间的仙境 /

太平洋的阳光它最先照耀这里 /

东极岛 / 东极岛 /

我们不会离开你 /

生是你的老百姓 /

死是你的小精灵 /

走啦（贾樟柯语）/

东极岛啊 / 东极岛啊 /

除了这里 / 我们哪儿都不想去 /

——《东极岛之歌》

在岛上拍摄的最后一天，我开着摩托车到了我觉得最漂亮的一个弯道。那是难得的好天气，远方若隐若现几艘军舰，那几天正在军事演习，一艘渔船在海湾里准备起航。离开陆地已经差不多半个月，此刻我也根本无所谓自己所站的地方究竟是不是一个国家的一个极点。在不在这个点只是一个噱头。有时候，把自己困在远离城市的地方一些时间，可能可以收获更多。当你眼前只有辽阔海岸，当你的耳边只有寂寥海风的时候，你会觉得很多喋喋不休的事情如此遥远和无意义。身边的朋友对我说："谢谢你带我来到这里，这个离开喧嚣，甚至感觉要离开现代文明的一个角落里。在来到这里前，我有些焦虑，觉得离开了陆地，离开了人群，离开了城市，甚至离开了网络，离开了手机信号，离开了电视节目，我会不会不习惯。但真的踏上了东极岛，我反而瞬间感受到一种安宁。你知道为什么吗？"

我看着夕阳，心中差不多知道了答案。看来这种内心洗涤和宁静之旅是有必要的。但我还是想听他自己把答案说出来。我轻声问："为什么？"

朋友掏出手机，说："看，因为这里有 3G 信号。"

我无语凝噎。身后突然响起了喇叭声，一个导游从观光车里探出头来，说："喂，你摩托车让一让，我们一车游客都过不去了。"

01   武陵隧道中剧组工作图 / by 王冠英

02   这一场戏我们整整拍了六天，其中五天是连续熬夜的大夜戏 / by 韩寒

03   导演抓拍瞬间 / by 王冠英

01　卖萌的马达加斯加 / by 王冠英

02　导演说收工了 / by 李佳鸢

01

02

03 爱好摄影的一个少年 / by 李佳鸢

04 导演和他的玩具 / by 李佳鸢

" 延迟 "

9020 km - 东极岛

我们原定本来的开机时间是在一月份。这是一个很尴尬的时间，没拍几天就要过年了，至少要放假一两周，加上新年里各种联络都不方便，如果放在一月份开机会很不利。更关键的是，剧本中原来设计的是夏天的故事，可窗外还在飘雪。

我们只能模糊了季节，变为春秋。毕竟剧组的大组已经待命了一两个月，而前期的筹备组也早在半年前就成立了。演员的时间也是问题。这个开机时间已经是推迟一个月以后的开机时间。虽然上次的推迟给了我们很多益处，比如服化道的精进，分镜画的完成，剧本的完善，人员的齐备，但我们已经不能再次推迟。箭在弦上，不得不发，你若不发，便是冬天。

我和摄影组已经合作过很多次。摄影指导是廖拟，副摄影是小白，灯光组是严老师，在我好几年前自己拍MV玩时我们就共事过了。他们都是非常优秀的年轻摄影师，这也是他们的第一部院线电影长片。我写这些文字时已经定剪，影片的好坏我不方便自己评价，但我相信未来他们会很忙碌，将有很多电影邀请他们，恐怕下次我得提前预约了。

来自台湾的造型指导黄育男（Luke）和造型师刘潇骏也是开拍前最忙碌的人，留给他们的准备时间很少。美术组老刘（刘维新）就更得天南地北，我们的场景非常分散。制片主任黄鹰是新晋制片主任，是一个细心而纠结的人。统筹乙力，我们最放心不过的人选，但她依然在头大通告。外联制片徐征，以前在舟山沈家门开着一家艳遇酒吧，阴差阳错就到了组里。我的行政助理于梦，是两个女孩的父亲，但他的名字让好多人以为是姑娘，甚至有些只见到其微信不见其人的男士已经开始和他调情。现场的录音师郭明，总是安静地坐在角落。现场副导演小涛，晒得比以前更黑了，他的习惯就是不管明白不明白，非常干净利索，就是一句："Sir，我明白了。"张冠仁和Lisa，都是one工作室的同事，被抽调到片场投入新的工作。演员副导演默默姐和刘畅，一直在一堆一眼看上去就是40岁但都号称自己是20岁的群众演员中寻找看着接近30岁的人……大部分的工作人员已经进入工作状态。和发射火箭一样，在第二次决定的开机日子，因为一些客观原因，我们又往后推了两天。未知的世界越来越近，所有的繁杂也开始变得安静，就如同考试之前，你再翻开课本已经没有什么大的意义。这一天终于到来了。

01 韩寒与廖拟沟通画面运动轨迹 / by 王冠英

" 第一天的励志故事 "

10522 km - 北京

那天晚上突然下起雪来。我很诧异。

走进房间，左边的墙上贴满了电影的分镜画。在开拍前，我们的分镜师王溥（也就是1号手绘海报的作者）把这部电影的重场戏都画好了分镜。他是国内顶级的分镜师之一，被我们临时抓来，友情软禁20天，完成了大部分的分镜。分镜图是一个电影非常重要的前期部分。有些人认为画分镜会限制想象力，其实恰恰相反，导演和摄影师先确认大致分镜，分镜师将其画出。有了分镜画，大家才能在现场有更多的空间时间去发挥，而且能更合理地分配器材，节约开支。时间虽然仓促，但王溥非常出色，如果把他的分镜画贴在酒店外立面上，跳个楼就能看明白整个故事。

沙发和椅子还是开会时的摆设。这是一个三星酒店，靠近车墩影视基地，很多剧组常驻。躺到床上，电话响起，问是否需要按摩。我稍有犹豫，对方马上说："不好意思，我们这里没有特殊服务。"

我的犹豫难道还透露着色情吗？一怒之下，我要了一个颈椎按摩。

按摩技师很快就上楼了。房间满墙满桌都是电影的核心内容，为了防止泄密，我把灯全关了。

女技师来到我身边，问："先生，你是名人吗？"

我一惊，心想都黑成这样了，你要是不说话，我连你性别国籍都不知道，居然还能认出我的脸。果然在黑暗中我都散发着光芒。但我还是故作镇定，问："姑娘何出此言？"

女孩说："哦，因为我们这里是剧组酒店，经常有演员住在这里，他们为了不让我们知道是谁，很多都不开灯按摩。你是演员吗？"

我笑道："不是，但我不想开灯，因为我懒得再起床关灯。"

女孩一笑，说："我眼前一片漆黑，什么都看不见，只能听到说话的声音。"

说完她在床头按了一个按钮，瞬间房间全亮了。她说："看，一键搞定。"

她环顾四周，说："原来你是个画家呀。"

技师很年轻，刚来上海不久，充满好奇。窗外就是模仿老上海建造的影视基地，《上海滩》就是在那里拍的，吊车把巨大的照明灯吊起，想必是某个剧组在拍夜戏。女孩子问我："这就是那个浪奔浪流的地方吗？"

按摩完，我对那个女孩子说："我不是画家。"女孩子说："我早知道。你是摄影师。"她指了指桌子上的相机。我想摄影也好，写也好，画也好，其实差不多，都是记录与想象。我对她说："可是我明天就开始干一份新的工作了。"

女孩说："我明天也不错，不用上早班。"

第二天的早晨，我拉开窗帘，地已全白。我给导演助理和制片发了一个微信，让他们注意安全，尤其是先行的器材车辆，过桥的时候千万要小心地滑。

坐在车里，我想起十多年前自己的第一场汽车比赛。写书、比赛、电影，这是我小时候给自己规划的三件事情。30岁，拍电影，不晚，但20岁，赛车，太晚了。比赛前夜，我睡得很香，为此我还有些自责，觉得自己是不是太不重视了，但发车前被安全带死死绑住的一瞬间，我确信自己还是非常重视的，因为我有些紧张。起步的一瞬间，觉得自己坠入了一个奇异的空间，一个裹满了幻彩和荆棘的隧道在你面前打开了。不敢相信此刻自己居然在一台赛车中，参加全国最高级别的锦标赛。我看了看四周飞快后退的景物，确信自己是在比赛中。

很快第一个弯道就要来临，我应该是漂移呢，还是稳定地走线入弯呢？我应该用一个很晚的刹车点来显示新车手的魄力呢，还是早一些刹车追求更稳定的发挥呢？我要不要拉手刹甩尾呢？我要不要把路面用到最尽呢？减挡的时候我要不要补油来显得更专业一些呢？带着一万个疑问三百种选择，我错过了刹车点，冲出了赛道。

好在车没有任何损坏，我倒了一把，回到赛道，完成了比赛，最终获得了第六名。这是我人生的第一个弯道。在我错过刹车点的一瞬间，我觉得我的职业生涯完蛋了，肯定要在耻辱中度过余生了。我仿佛听见了四面八方涌来的嘲笑。如果那时候有个声音对我说："十年以后，你会赢得七届年度总冠军。"我肯定会对那个声音说："闭嘴，

fuck you。"

当然，我的运气很好，有几棵大树离我冲出去的地方很近，而且很多观众都在那里。如果再不幸一些，我可能就扫到一堆观众，然后撞在树上。我都能想到我遇难后的新闻标题——《少年作家不自量力参加专业汽车比赛，撞死六人撞树身亡最终一弯未拐》。有时候，励志故事和反面教材之间，只差命运之手的淡淡一翻。

回到那天早上，我居然又有第一次参加比赛的感觉。很快，我找到了原因，因为下雪，地面太滑了。到了拍摄地，已接近中午。大家都很诧异，导演居然没有迟到。

我说："放心，我车队的朋友都知道，不管我试车的时候怎么迟到，发车前我一定会以最好的状态把自己固定在车里。我们开工吧，摄影师呢？"

副导演说："还在路上。"

我们的摄影师廖拟是一个做事情非常认真而且特别严谨的人，我终于比他先到了现场。

我们的第一个镜头是车戏，冯绍峰和陈柏霖坐在我们的道具车中。当时的景观非常奇幻，棕榈树上居然挂着雪。我坐在后面的跟拍车里，同事们把器材都接好。当监视器里传来前方的无线信号时，我有些恍惚，就这样开始了吗？就这样开始吧。这个世界上永远没有百分之一百准备好的事情。最充分的准备往往意味着你错过了一切。

录音师郭明帮我戴上耳机，确认有声音。我在对讲机里和演员沟通完，细微调整了一下构图。副导演小涛确认器材和车辆就位，制片确认道路已经安全，摄影师确认已经 stand by。我轻轻告诉大家我这里也可以了。场记张悦开始打板。监视器画面里出现我们的场记板，上面写着《后会无期》× × 镜一次。绿色的 stand by 变成了红色，场记报板完毕，action，车辆启动。

我的无线信号就断了。监视器里什么都没有。大家都在各司其职紧张工作，你是最终的定夺者，但你的面前一片幽暗。

我没有喊停。一分钟后，我们到了目的地。

大家都问我怎么样，需要进行哪些调整。我脑中飘过按摩女孩的那句话——我眼前一片漆黑，什么都看不见，只能听到说话的声音。真是先知。

我说："检查一下无线信号，我们掉头再来一次。"

这是《后会无期》的第一镜第一条。在我的眼前，这是一片黑暗，但事实上，它已经自己长成了。这个镜头在电影的中间部分，两个人开着车，窗外还有雪花在飘。你们看到电影就会记得那个镜头。

那第一条就一直封存在数据保全中心，在场记单上也没有给它打上钩。剪辑时，我觉得我们保留的那几条都不够好。我突然记起了这监视器中画面缺失的第一条。于是我让剪辑师打开了这黑暗中的第一条。它被开启时，天空里有一道闪电掠过。光速总是快过音速那么多，那炫目的几秒以后，伴随着神秘的第一条的光影，大地惊雷在我们耳边随后赶到。我知道，这是真命天子出场的方式。

最终，我们使用了第七条。没有什么励志故事。

　泥地里、戴着口罩的韩寒看自己赛车队车友高华阳尽情表演 / by 王冠英

01 挡风玻璃撤走之后，柏霖觉得空气好极了 / by 刘玺

02 柏霖在现场偶尔会流露出他顽皮少年的眼神 / by 李佳鸢

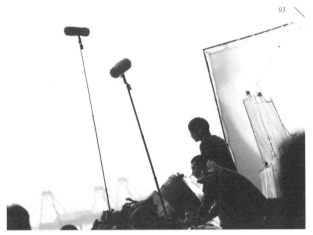

03　导演韩寒和摄影师廖拟气象万千 / by 李佳鸢

04　马浩汉雄心勃勃地开始梦寐以求的旅程 / by 李佳鸢

01   拍摄现场最快捷的早餐 / by 王冠英

02   导演正在说戏，看着像是想搭车 / by 于梦

01

02

03 这能看出逃亡的感觉吗？ / by 于梦

04 西昌机场风大得可以把人卷走 / by 韩寒

03

04

"　　　最后　　　"

　　写到这里，我们所有的后期工作已经完成了。中间空了那么多时间，没有去写拍摄过程，是因为我的内心也有忐忑，万一这部电影的后期不能完成，跳票了怎么办。到时候电影没出，书躺在那里，也是一件尴尬的事情。

　　现在，我能在这里安心写这一篇包含了很多的"最后"。

　　5月底杀青，7月24号上映，这对于一部电影是不可能完成的。一般来说，电影的后期制作都要平均半年左右，其中几个月剪辑，几个月做声音。而且虽然说是7.24上映，但这不意味着你7.23把电影做出来就可以，因为还有送拷贝的过程，无论如何要在7月8日完成所有过程。加上终混，生成，进入7月，一切就几乎已经关门了。

　　我们需要在一个月的时间里完成剪辑、调色、声音、音乐、特效等等。有些复杂一些的广告或者微电影都无法在这么短的时间内完成，何况这是一部投资半亿的电影。

　　业内自然都对我们投以诧异与同情的目光。也许读这本书的朋友不知道这意味着什么，但如果以后你们也从事影视后期，就知道其中意义。当然，很多朋友会觉得，这部电影肯定粗制滥造，糊弄一气，草草了事，就为了出来抢钱。

　　我们当然不可能这么傻。和我们合作的后期部门都是业内顶尖的，就算我要这么做，他们也不会拿自己的职业声誉开玩笑。到时候我拍拍屁股，说，哎呀我不懂欸，然后走了，留下他们默默承受，这也不是大家想看见的。何况作为车手，对工业标准有着很高的要求，赛车没有达到标准，开上赛道，只会车毁人亡。

　　之所以能冒着巨大的风险做这件事情，是因为忐忑之后，我们有把握。《后会无期》在拍摄的过程中就有三个剪辑组，我们的 DIT 数据管理也做得非常好。每天在拍摄的片场，小白（也就是我们两版 MV 和一些花絮的剪辑师，现场剪辑师兼摄影师）和雨菡（我们的副导演助理和现场剪辑）会根据拍摄的内容剪辑出当场戏。在拍完的同时，他们的剪辑工作已经完成，我可以马上检查缺不缺镜头。到了晚上，由袁则和富昆的一组负责素材的整理和码放，他们这里会留下尽量长的可用剪辑条以及所有的数据保全，而后来进入的非常优秀的剪辑师张为傑和他的助理刘北响负责一次正式剪辑。他们会根据自己对剧本和分镜画的理解，剪辑出我们真正使用的版本。这样的工作对于导演来说也是最好的，因为当遇见有一条的表演不是很满意的时候，我可以马上告诉他哪一镜哪一次是可以替换的。如果等杀青以后再做这些工作，估计很多都已经忘记得差不多了。

在我们关机的那一天，电影已经差不多是一个 120 分钟的版本。如果不考虑声音，其实这个版本已经可以播放了。之后我们的剪辑指导就进入了，他是我认为国内最好的剪辑师肖洋，《风声》《中国合伙人》等片子都出自他之手。事实上，他已经不接剪辑工作了，因为他自己导演的电影《少年班》正在筹备中。

但是他依然接了。张为俣已经把初剪做得非常好，肖洋上手后，用了十天时间，将电影调整到 93 分钟。这十天我完全没有参与。因为作为导演，此时已经审美疲劳，而剪辑指导的眼球是新鲜的。他调整了很多戏的节奏，删去了不必要部分，但又没有损失信息量。

最后的定剪部分，我又加入其中，用了几天时间做了最后的调整。因为一旦影片交给了声音部门，只要动一个画面的长短，他们都要重新调整之后所有的声音铺设，非常麻烦。

在我们做剪辑的同时，我们的录音师郭明已经连续彻夜工作了无数天。所有现场的声音已经整理就位。接下来就是一段长在后期棚的日子。那个地方的地名叫七棵树，感觉自己成了第八棵，几乎每天都是在那里工作。当然，还有几十棵已经在那里扎根的后期工作人员就更不用提了。这个后期公司的左边是声音公司，叫声林；右边是画面部分，叫画林。只有在这样的地方工作，才有可能省去沟通成本，按时交片。

对于后期来说，声音是更复杂的存在。我们在剪辑的时候想得非常明白，所以不会就一支烟到底抽不抽，这个笑脸究竟留不留而纠结几个星期。我可能会在两个餐厅之间犹豫三个小时，但绝对不会在某个画面的取舍里多耽误一秒。

其间，我们还给所有的演员配了音。每天工作完都已经天亮。我、郭明、富康、黄铮以及看门的大爷组成的天不亮不归小组一直工作到了最后一天。其间我天秤座和处女座的综合征发了几次，修改了几处，每次都害声音部门加班加点。

最后我们真的做出来了。在每个繁星抛弃银河的夜里，我们埋头苦干，终于可以说，我们做到了。

那一刻的拥抱就像完成了一个艰难的赛段。虽然比赛还没有结束，但是比赛已经在那一刻结束了。

01 亭林粮库拍戏当天阳光特别好，等布光的时候抓拍 / by 韩寒

02 韩寒在现场修改台词，摄影师廖拟先睹为快 / by 于梦

03　韩寒与袁泉现场对台词 / by 于梦

04　导演韩寒亲自掌机 / by 王冠英

01

01 现场美术路超正在和韩寒沟通用哪一条道具毛巾 / by 王冠英

02 导演正在断崖旁边凝神构思下一个跳跃 / by 李佳鸢

03 车墩基地，前景中大部分角色都由剧组工作人员客串 / by 李佳鸢

01 上海部分杀青了，足球场上追风少年韩寒 / by 李佳鸢

02　上海某球场，韩寒被对方球员的精彩表现所震惊，忘记了防守 / by 李佳鸾

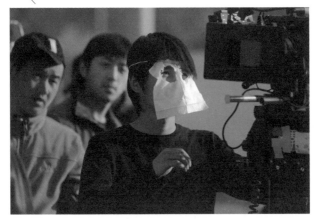

01　西昌日晒非常厉害，不喜欢涂防晒油的韩寒想出了新招 / by 王冠英

02　西昌冯绍峰、陈柏霖和钟汉良 / by 王冠英

03　为了视觉效果，场务不停地扬尘，导演检验效果 / by 王冠英

04　从跟拍车透出的视角 / by 于梦

part 2

十四个关于

访问整理

" 导演韩寒 "

访问整理编辑 / 也也

关于拍电影 /
跟世界对话的另一种方式 /

对我来说，所有事情的动力就是喜欢。

我从小就喜欢影像，在写小说的时候其实脑子里过的都是影像画面，从这个地方跳全景，那个地方接转身，有时候恨不得连环轨都已经铺好了，写两人的对话，脑子里也全都是正反打，所以不如把它拍出来吧。

其实我差不多在二十四五岁的时候就开始准备了，我可能以前说过，但没有说得那么详细。我总觉得事情还没有准备好，老在那说其实挺没有意思的。以前我写《他的国》和《1988》的时候，就想着最好能自己把它拍出来，后来写完了以后就没有热情了。

30 岁以后，拍电影成了我最想做的事情。我也发现其他人可能真的没有办法把我叙事的方法描述出来。也许我自己的作品风格只有自己去表达才最舒服，我也最能明白自己要什么。与其让别人来做砸了，不如自己来，好歹砸也是砸在自己手里。

拍电影是我跟自己跟世界对话的另一种方式。我是一个特别讨厌重复的人，所以我比较喜欢拉力赛，不喜欢场地赛，虽然我的场地赛成绩也还不错。人生特别有限，老在回头看自己做过的东西，我会觉得无意义、虚度光阴。

关于小说改编电影 /
以后自己的作品都尽可能自己来操作 /

《后会无期》不会写成小说。这次没选择拍自己的小说，
因为观众看完了，无论说书不如电影拍得精彩，还是电影
没书写得好，这两种说法对我来说听着都不舒服，所以不
如拍一个全新的。

《他的国》《1988：我想和这个世界谈谈》，现在想这两
部作品拍成电影不一定会很好看，但当时我的确有拍成电
影的想法，而且已经很有画面感了。其实《后会无期》里
面也有一两个"1988"的桥段。没拍成有很多原因，除了
当时的电影环境，也有我自己的原因。其实创作的过程还
是蛮痛苦的，我的赛事又多，又想对自己的叙事做一些改
变，所以断断续续花了很长时间。到后来我就不想再继续
下去了，我往往在做事情的时候兴高采烈，但在这个过程
中热情也就随之过去了，对我来讲已经完成了。

《一座城池》导演当初找我，说没拿到我的版权就拿不到投资，我就授权给他了。其实到现在他们公司也只付了定金，其余还没给我，我也没去管人家要，真的纯粹是希望一个年轻导演获得机会。既然是帮助新人，肯定有一定风险。过程中我也不会有任何的干涉干预，因为要给其他创作者自由，所以我选择了完全放手。但以后所有自己的作品都尽可能会自己来操作。

关于剧本 /
我的气质比较奇怪，一眼就能看出来 /

如果让我写一个跌宕起伏、首尾相扣的故事，对我来讲并不擅长，也不是我特别喜欢的东西。这次在剧本创作中也的确存在这样的问题，很多细节和桥段做得不错，但故事不会那么环环相扣。我想就尽量让观众能够看得下去，至于其他方面，就是仁者见仁智者见智了。

这次的剧本写了一两稿，因为再多我就会厌倦。任何事情，对我来说失去新鲜感的话，就会失掉很多意义。在剧本创作过程中，不会对之前的想法有太大改动。虽然现在拍摄的剧本与我最初想写的故事差别还是蛮大的，但是我写的小说和剧本有一个共同的地方，就是拥有很多的闪光点。所以即便有的段落会做较大的改动，也起码能保证有原来百分之三四十的东西。

如果看到其他人写得好的小说，我以后也会尝试去拍摄。如果其他人写的剧本，我特别喜欢，我也会去拍，但过程中应该有不少改动。我的气质比较奇怪，就和我写的小说一样，大家一眼就能看出来。专业编剧很难有人能跟我的风格搭得上吧。

举个例子，我特别不喜欢 MV 式样的情绪段落，我认为所有的情绪都应该在事情发展过程中产生。比如表现一个人最喜欢的狗死了，传统的处理方式不外乎是：你叫狗的名字，它没有出现；你看着它的照片，神情特别失落；你看着外面别人的狗在跑，感觉很悲伤。而我可能会这样处理：狗的主人有强迫症，他每天要上十四个台阶，每次他都是走到第十个台阶，最后四个他必须是一步两个台阶跨上去。但是在他的狗死去的那一天，最后的四个台阶他是一步一步走上去的。之后这个情绪就结束了，我不会再去做其他的交代，因为我会觉得那些桥段比较酸。像这样的处理方式，很容易跟别人产生创作分歧，跟别人阐述自己想法的时间，不如自己写。

至于给其他人写剧本，应该不会。

关于《后会无期》/
忧伤与幽默，告白与告别/

其实在我几个想拍成电影的故事里，《后会无期》是相对最
容易操作的，适合做一部电影导演处女作。喜欢是一部分，
但不要给自己设置太大难度是另一部分。不过后来发现，这
部电影还是挺难拍的。它算是一个幽默又忧伤的故事。可能
是我写作风格的原因，总是害怕会处理得太酸，或者处理得
太搞笑。我希望两者可以特别好地结合。用一句话来形容《后
会无期》的话，十个字，忧伤与幽默，告白与告别。

《后会无期》定位于公路片，与我的赛车手身份有关。赛车
教会了我很多东西，从事创作的人往往比较敏感，容易陷入
焦虑、抑郁的情绪，而赛车必须遵守它的规则，这会对许多
文化人身上的软肋形成一种克制。这次我比较得意的是，虽
然片子里主角要驾车穿越各种各样的地形和环境，但我没有
采用任何漂移、甩尾之类的方式来炫车技，我不想拿个人的

喜好凌驾于故事之上。当然，这样做还有一个好处就是我不用客串出镜。《致青春》有一点做得特别好，赵薇在里面一个镜头都没有客串，否则观众一定会出戏。

《后会无期》一定不会是印象中那种公路片或青春片，在开拍前我就跟摄影师定下了一个规则，就是坚持镜头不夸张进光。很多年轻的导演在青春片里喜欢使用的拍摄方法，正面给很多的光，然后逆着光，看着就倍儿青春的那种。

它也没有以前青春片里的那些元素：没有火车、双脱手骑自行车、医院，也没有悬崖边的呐喊、雨中的奔跑、铁轨边的迷茫……反正大家印象中青春片的这些元素我们都没有，我不喜欢重复他人做过的事情。我只能确保它不会是一部特别洒狗血的电影，我自己内心有一个评判，但我不能说。

片中有很多喜剧元素，但我也找不出一部同样喜剧风格的电影。如果看到某个地方与别人的东西相同，我就必须要绕过去，人家是最后一分钟营救，我可能就是最后一分钟破坏。不过观众什么电影没看过，不可能你的东西就都是全新的，但至少在我有限的看片量里，不会重复别人的东西。无论如何，这部电影都是关于告别。

关于爱情戏 /
煽情和狗血不会出现在我的电影里 /

爱情在《后会无期》中其实有蛮重要的比例篇幅。但片里所有的爱情故事连手都没有牵过一次，我觉得不需要。在现实生活中，你表达感情一定要牵手、接吻、拥抱、上床，但在影视作品里面我觉得未必非要把这些描述出来。要看激烈的，有好莱坞大片；要看激情戏，毛片里都有很多拍得还挺艺术的。我觉得看《后会无期》的观众不需要这些，观众不差动作，观众差的是情感。

这可能跟我自己一向以来的叙事风格也有关系。我写到现在，长篇小说也出了不少，但仔细回忆一下，还真的从来没有那种"一把拥住你，紧紧地两片嘴唇贴在一起"的描写，好像都是点到即止。不是我特意回避"爱情"这个主题，只是说我有自己一套对爱的美学处理方式。那种男女一相见就荷尔蒙激发的句子，我不会去写的，最多是淡然带到一点点。写得越详细，越破坏质感。我不喜欢看那种特别激烈的争吵，拥吻，上床。我觉得两个人在一起，在那里天天接吻，在其他影视作品里都看过一万遍了，还能接出什么花来呢？我不喜欢煽情和"洒狗血"，也不会让其出现在我的电影里。

关于票房 /
能收回投资，我就满足 /

我当然希望《后会无期》票房越高越好，但电影需要天时
地利人和。我没办法预估票房，这虽然是客套话，但也是
大实话。对票房不可能没有期待，但能收回投资，我就满足。
关于商业片和艺术片，我现在或者未来会努力争取把它们
合一，我相信好的电影具备这样的魅力。但无论商业还是
艺术，我最愤恨的是，没有亮点的，看不见才华的电影。

我的读者和受众与一般的粉丝不太一样，他们的眼光、判
断非常独立，会很客观冷静地去审视你的作品，并不盲目。
他们的智商和想象力也是让我蛮自豪的一件事，我也根本
忽悠不了他们。所以我相信，如果我的电影票房很好，那
么口碑也一定不会差，不会出现票房口碑两极分化的情况。

其实每一个好的作者或者导演身后都会有粉丝，但靠粉丝

的支撑是走不远的，会越来越式微，只有走出自己的小世界，甚至背弃所谓的那些粉丝，才能走得更远。我不拍给谁看，但希望自己能满意。我的满意点很高的，我满意的东西不会差。作为一部导演处女作，我觉得它是拿得出手的。虽然它不会拍第二部，但我希望大家都等着它拍第二部。

关于演员 /
我比较幸运，他们都有档期 /

演员永远是一部电影非常重要的议题，也是筹备期间最让人头大的事情。很多人会说挑演员的标准如何如何。其实，中国影视行业到最后挑选的标准是档期。我比较幸运，首先这些演员符合我自己的设定跟想象，然后呢，恰恰大部分的人都有档期。

绍峰跟柏霖是决定比较快的。但开拍前，我把他们的角色换了一下，换得非常适合。还有我跟王珞丹是很多年的朋友，一开始其实我并没有想找她，我跟范冰冰、徐静蕾关系也还不错，但都没有去开口找。我总有一种很奇怪的想法，我在做这个事情的时候有可能是做砸了的，我不想伤害到朋友，我一定要确定自己适合干这件事情，也的确干得还不错。我总希望，作为朋友，当我找你的时候，大家都能够因此而得到快乐，以及好处吧。

之前我接受过贾樟柯《海上传奇》的采访，当时我就觉得他身上都是戏，他长得就特别戏剧性，《天注定》里东莞选妃那段演得多好啊！我真的说不清楚这次他演的角色，说了就不好玩了，但很好笑，老贾特别适合这个角色，戏真的很好，而且他特别惨，戏里活动范围只有一平方米，但他在那一平方米里演得特别好。

白客和孔连顺的戏份不多也不少，演了两个特别悲情的角色，但很出彩。我们后来看片的时候，他们出来的那一段是气氛最热烈的，这个热烈不是卡着笑点出来的，它是一个很奇怪的点，是卡着气氛G点出来的。我们的一些发行人员对网络不是那么了解，不知道《万万没想到》，也不知道哪个是白客哪个是孔连顺，但他们看完片就问我这两人是谁。

关于当导演 /
创作就是在绝对的谦逊学习之后 /
实施绝对的独裁 /

做一个导演，在片场的主要职能是大局的掌握，表演的控制，节奏的安排，人员的确定，风格的确立。到了片场，你要让别人在自己的职位上有存在感。我不喜欢在现场大声喊开机，那是现场副导演的事情，我只负责什么时候停。就像我不喜欢计较排名先后，或者拍照时一定要站在最醒目的位置，我觉得真正的地位是无须靠你站的位置来获得的，而你越在乎这些，也就说明你还没在那个地位上。当然我现在还没有达到这样一个能量或者才能，归根结底还是要靠你的作品和成绩说话。我在意的事情，我就会干涉其中一切事物，创作就是要在绝对谦逊地学习聆听磨炼之后实施绝对的独裁。

我在片场从来没有发火骂人。包括我赛车时跑到最后一圈，车坏了，我也不会骂技师。这样做并不能改变事实。人都有不痛快的时候，但绝对不能放在表面上，因为这绝对不是你真性情的表现，而是一种不负责任的表现。剧组几百号人，你分分钟就崩溃了骂人了随意指责他人，这样的男人也不会拿到比赛总冠军。

适当的妥协不是委屈自己或者所谓怂，而是使事情的发展更容易接近你的目标。除非你就喜欢姿态与腔调。就像导演工作，很多人觉得所谓导演，就是在现场指挥这个，指挥那个，是权力的象征，很爽。其实不是这样。人要通过很多的努力，让自己更加厉害，比起那些用大嗓门企图压制世界的人，让全世界都安静下来听你小声说话的人更可畏。

有的时候天光有限，我会判断剪辑状态，我要的那个点，那句话有了，就可以了。我们有两个摄影组，我在确认好有了自己想要的东西以后，在时间允许的情况下，只要不带演员的部分，有时候风景空镜部分可以让摄影师自己发挥。既然我选择了摄影师，就是信任他的画面和审美。

影像风格上我个人首先是不喜欢特写，可能跟蛮多年轻导演不大一样。我觉得做得好的话，有些东西你不需要特写其实都能够阐述出来，特写感觉就像"来啦来啦，注意这个"，手持就像"紧张啦紧张啦，你要紧张起来了啊"。像是有个画外音在你旁边，会打乱观影。

我也不喜欢大量的非必要手持，不喜欢无序的运动。这次片子里只设计了一个长镜头，我觉得是一个必要长镜头。我不认为长镜头是一个特别炫技的方式，长镜头必须要有信息量，如果三分钟的长镜头让观众感觉很舒服，像看了一个三十秒的运动镜头，这种感觉就比较好。比如《地心引力》的长镜头，你不仅不觉得长，反而希望不要停。但无论镜头怎么处置，只要电影好看，都对。

我是不接受演员现场发挥改台词的，因为我的台词里没有水词。包括呢、啊这样的语气词，出来的效果会截然不同。但我也不会故步自封。因为他们对角色也有了感情，有时候，有些词他们的想法比我写得更好，我会欣然接受。他们都是有才华的演员。

我比较喜欢在演员们的耳边说话，很小声。有时候也会指定他们的动作，比如这个时候你的嘴角要上扬多少。他们都是聪明人，很有经验，他们对电影最终呈现的质感一定都是有自己的认知。如果他们觉得不好，在表演上也一定会表现出他们的担忧，情绪上也会有一定的影响。

我跟演员几乎没有争论，基本上合作得很愉快。无非有时候摄影师觉得光已经不行了，我觉得还能再来一条，否则明天太麻烦。不是艺术上的争论，是操作上的探讨。但是不能探讨时间太长，太长了光真的不行了，再探讨得天黑了。

关于拍摄 /
没有百分百的完美，但必须达成平衡 /

电影和民主一样，看似是自由的表现，其实是妥协的过程。没有百分之一百的完美，但必须要在进度、质量中达成一个平衡。比如有一场戏，镜头量不小，本来是在一个凌晨，天色微亮，如果是小说，只要前面加几个字，观众就自动脑补了当时的气氛，但电影如果真要追求凌晨天光密度，那这场五分钟的戏甚至要拍两个多月。于是我不得不调整为"上午"，最终还是拍了五天，这就是妥协，但这是必要的。

拍摄场景遇到各种问题，但还好我们有很好的制片组，可以解决。拍片就是这样，哪怕在垃圾堆前拍摄，也会有人过来，说，这垃圾堆是我的，给钱吧。我们电影大量的外景，必须先协调好。我们在一片空无人烟的沙漠里拍摄，给一个村交了钱，但另外一个村认为这是他们的地界，妨碍到他们办事了，也来要钱。我说这儿平时一个人都没有，不会妨碍，他们说不，他们今天要种树。我说太好了，我画面里正缺树，要不你们赶紧种，我过几天拍，他们说不，他们不种树了。总之就是在你想不到的地方都会有人出来问你要钱。但他们基本上都挺好说话，生活也不容易，事先沟通好，事后安抚好，就可以了。我们也绝对不会破坏任何环境，现场不允许留一个烟头。总之，互相理解吧。

拍电影反而会对写小说产生另外的一种渴望，因为你在拍的时候发现，太他妈受天气啊各方面的限制，小说更没有限制。所以我觉得我的下一部小说应该会比以前的质量有所提升，因为我更懂得了自由的可贵。

关于主演肖像照 /
赶鸭子上架的结果 /

很多人说我们的黑白人物肖像照片发布非常好，人文，独
特，风格化，配词简单，直接，不矫情。事实上，一切看
似英明的决定很可能都是赶鸭子上架的结果。事情是这样
的，由于我们的剧照摄影师到位晚了几天，且试装比较仓
促，没有很好的拍摄条件，所以一时没有演员可发布的照
片。我正好有一个徕卡的相机，叫 MM，只能拍摄黑白照片，
不得已使用了那枚 50/0.95 的镜头。插一句题外话，胡乱
使用大光圈虚化背景是一种非常业余的行为，如果人物所
处的环境非常恰当，根本不需要使用大光圈，反而更显影
片制作的整体气质。当时我们在各种不恰当的暗黑环境里，
只能用大光圈去藏怯。

陈柏霖这一张是在第一次试装的时候拍摄的，当时所处的
环境非常暗，现场也很忙碌，能使用的有效时间并不多。

他的脸很有气质，我大概留了十几张照片，由于太暗，使用的光圈很大，我很担心成像，好在镜头还是支撑了下来。最后我选了那张侧面闭眼的照片。我们都觉得这张很有感觉。发布后大家都高喊，欢迎汪峰。那时还没有确认全系列都用黑白肖像照发布，完全是走哪算哪的节奏，工作的重心主要还是在调整剧本上。

冯绍峰那张发布更是兵荒马乱下，也是整组照片中唯一一张不是用那台黑白相机拍摄的，真的很不好意思。这张照片的出处是某次他在台湾试装，工作人员使用手机拍摄并发给我们要求确认。不得不发布是因为那天剧组拍戏被媒体偷拍了，冯绍峰参演的消息下午就会被公布，我只有一个小时的时间。那天没带相机，便想起了手机中这一张，但这样发布明显不行，我又想到了一个藏怯的工具，就是instagram，我裁好照片后发现颜色还是不行，索性调成黑白。这就是冯绍峰这张照片的故事。他作为主演，我们发布的照片居然是手机拍的，的确稍有冒险。好在没什么人觉得这张照片有问题，因为他拍摄时的神态很好。

陈乔恩那张照片是在她休息的房车中拍摄的，由于光照很差，空间狭小，我换上了35/1.4的镜头，用五分钟拍了几张。

有几张神态很好的，但最终我们没有选用，用了那张构图有点问题，人物主题并不突出的照片。因为当时她的妆还没有完全完成，这样做比较安全。陈乔恩就是在那里静静地化妆，光晕从窗户透进来，正好洒在她脸上。我们选择了一张最隐忍的，照片发布后很多影迷问，人呢？

钟汉良的照片是在一片荒野上拍摄的。当时拍摄现场，周围全部都是人，人口密度不亚于王府井，除非他躺在地上了，否则几乎不可能带不到人和拍摄器材。但躺在地上实在是太娘了，我只好再次使用业余的大光圈大法，这次甚至在白天光照充沛的情况下将光圈开到了 0.95，快门速度都爆表了。背景里的片场被虚成了空气。但这张照片效果很好。

袁泉的照片也是在片场拍摄的，当时这场戏拍摄难度很大，四处都是机器和设备，我只能对着墙拍。袁泉的状态非常自然，也正好在排戏中，我抓拍了几张。我选择了一张她低头的照片，因为拍摄的其他照片都太剧透了。袁泉在正式开拍或者平时拍照时，都无视机器的存在，但却能配合到机器的运动。无论带妆或者不带妆，都不给自己找角度，非常专业。

王珞丹的照片是在隧道和机场拍摄，其实那两个地方的光照与色彩都非常好，但我们还是毅然选择了黑白。有的时候要在既定的风格和当下的诱惑下做出选择。我们还是选择了风格，因为诱惑常在，但风格丢了就找不回来了。她以前的照片中时尚大片与流行街拍比较多，很少有这样的风格。当时风很大，稍显风中凌乱，但毕竟我们不是杂志用图，所以问题不大。她自己还有一个摄影师，我们在相同的地方拍摄，她的摄影师拍得也很不错，只不过是彩色转黑白，灰色部分会稍逊，最终还是选用了纯黑白相机出的片。

不过要说一声，以上所有的照片，除了冯绍峰那张心酸的手机拍摄照以外，都没有特别去打灯，后期也没有做任何调整，只是裁切了一下，就原图上传了。

关于看电影 /
能吸引、打动我的电影，就是好电影 /

少年的时候，家里买了录像机，爸爸就租了四盘录像带给
我看，《生死时速》《真实的谎言》《侏罗纪公园》《终
结者 2》。我是在一晚上看完这四部电影的，完全把我震
惊到了。我觉得这四部电影节奏把控得都非常好，而且带
有一些人文气息，蛮有情怀。实际上，这四部电影甚至对
我的写作风格也产生了一定的影响，我忍受不了两三页纸
里面没有出现亮点、对话中没有高潮。当然，前提是尽量
不要影响叙事。

我也喜欢很多台湾电影，只是睡前看着火车开动了，睡醒
了还在开；舒淇念信，睡醒了还没念完，当然听舒淇念信
也是一件感觉很美好的事情。虽然这些台湾电影会让你想
起童年忧伤、故乡情怀，但对我影响最大的还是美国电影
和香港电影。

很多人不屑于提及一些热门电影，比如《无间道》《大话西游》之类，我就觉得很好看。我也喜欢《告白》《他人的生活》，这些都算相对通俗的电影，我不会为了让大家觉得我很高雅高深而给大家说一堆很生僻的欧洲文艺片。我完全不怕别人说我俗。能吸引、打动我的电影，就是好电影。有些电影有时候会让观众产生一种自虐心理，比如看一个女人叠三分钟床单，一百个观众会有八十个看不下去，坚持看完的二十个观众中，某几个就会说一些让你想起了生活中的某些小片段感慨万千之类的话。其实你已经无聊了三个小时，你肯定要为你浪费的这三个小时找理由嘛。但我就不是特别喜欢这种电影，情绪推动铺垫很慢，说一些装逼的话：往年这里有十二棵樱树，今年只有十一棵，我不知道那棵去了哪儿，就像我不知道这十一棵未来也会去哪儿。

关于他人的眼光 /
就是潇洒，没有办法 /

我在赛车之前，遇到的是不理解和嘲笑，现在我是七届总
冠军。但我在游泳之前，我遇到的是支持和吹捧，但我依
然游不好。别人的眼光不重要，你把事情做成什么样子才
重要。

就像我比赛，老是不试车，比赛前不好好休息，丢三落四，
但成绩很好。人们就说，这种性格看似丢三落四，看似什
么什么，其实是他成功的要诀，说明什么什么。所以，作
品好，这些都是特点；作品不好，这些都是缺点。反正就
是这么现实。

我最怕酸，常说忧伤，又酸又烦，没有必要。不会有人喜
欢倾听你的痛苦，说给朋友，朋友不好受；说给敌人，敌
人更开心。我其实写过不少文字，表达我做这件事情那件

事情的努力和不易，但似乎人们会忽略这些文字，觉得我的成功都很轻松。可能我外观属于洒脱系。那这样也挺好，虽然这会招来不少妒忌和仇恨。那就当我很轻松吧。就是潇洒，没有办法。

曾经很多人说我是一个大的神秘团队流水线包装的产物。因为我平时一个人单打独斗惯了，觉得冤枉，就说，我连个经纪人都没有，平时再拿多少冠军或者书卖得多好，从来没给媒体发过一个通稿，有团队的人不这样。后来明白，这世界上，看客们谁关心你的清白和委屈啊。后来有人问我同样的问题，我说，是啊，我出版，有那么好的发行公司；我赛车，有那么好的车队为我保障；我拍电影，有那么多优秀的人才和我一起工作，还有我的那么多独立而优秀的读者，我在乎的人们，我素不相识的朋友，他们都是我的团队。这个世界就是这样，好马配好鞍，好船配好帆，王八对绿豆，傻逼配脑瘫，没有太大意外的情况下，万物都会自然归位，感谢我的伯乐和船员们。

关于悲催的第一镜 /
搓麻将第一把没和的 /
可能一晚上会赢牌 /

开拍之前其实也有做计划表，包括分镜本。这不是写小说，
毕竟现场有两百多号人在那等着，出品方、投资方、发行
方都等着，不是开玩笑。但是呢，我又比较随性一点，常
会改计划。一开始我还假模假式地带上分镜本，包括还记
一些所谓的导演日记，我觉得可以在电影营销期出版。后
来发现所有的事情只做了一天，第二天又完全变成了自己
该有的样子。

拍第一个镜头的时候，还是有些内心的翻涌。毕竟准备了
很长时间嘛，此刻是我拍电影的第一个镜头，觉得还是蛮
神奇的。我记得我们是在跟拍车里面，用的是无线信号，
然后刚开机就没信号了！我就看着黑屏，大概一分钟。拍
完后所有人围过来问：导演，刚才那个镜头怎么样？我直

接说：我这里是黑屏……这是我第一镜的悲催经历。但是我相信，就像搓麻将一样，第一把没和的，可能一晚上会赢牌。

关于周期，开始会有一点担心，但我们之前开赛车，经常是礼拜天要比赛了，礼拜五可能赛车都还没有弄好，这种焦虑经历得太多了，所以不会想：完了，毁了，该怎么办，怎么弄才好啊……拍到第七天的时候，我大致心里确认在气质跟质量上，它是一个不错的产品。拍到后面就更放心了，最后一个月就是不拍了我也能够把它剪出来，叙述上也是相对完整的，因为我对这些细节太了解，在脑海中都有无数种的组装模式。所以我不会有那么多的焦虑。

关于对自己的新认识 /

1. 我发现我最喜欢吃剧组的盒饭。

2. 我以前一直以为自己晒不黑，因为我本来就黑嘛，但西昌、内蒙古这些外景地紫外线特别强烈，我发现我真的晒黑了……

说演员

01

01 冯绍峰 / by 王冠英

绍峰 /

他的角色名字叫马浩汉。我个人很喜欢这个名字，霸气，不明觉厉。绍峰一向被认为是高大上的代表，感觉他就应该是时尚杂志封面，然后摇晃着红酒杯，说，1934 年的 $ # % # @@%……&，我喜欢。

其实不然，他把这个角色演绎得极好。他是一个敏感细腻、粗心大条并存的男人，对自己和戏的要求也很高。这部电影的拍摄对于演员来说是一种煎熬，因为很多时候他们并不知道自己这一场接的是哪一场，台词也会根据现场的情况临时改变，但绍峰是一个直觉很好的演员，往往他的头两条就是最好的。在他最后一场戏的最后一个镜头里，我们租用的直升机低空飞行产生的巨大气流正好掀起了舞台上的布，把他卷倒在地，导致了左手桡骨的骨折，他还希望可以补拍一下早上骑摩托车的部分。我很内疚。目送他坐船远去，我在想，为了这部戏拼搏了这么久并为我们延了档期的主演，居然在他杀青的时候没能给他送上一束花。

我相信会有其他的荣誉来代替这束花。也许是《后会无期》，也许是他今年要上的《狼图腾》或者《黄金时代》，也许是他未来的其他电影。愿他的命运与马浩汉背道而驰。

Till then / part 2

说演员

01

01　陈柏霖 / by 王冠英

柏霖 /

和柏霖认识很早。好几年前在《观音山》的宣传仪式上，他正好牙齿发炎，于是他的脸就有站在旁边的两个范冰冰的脸那么大。那是我第一次见到他，没有什么大的交际。在北京见面，其中两个小时，有一个半小时我们在聊其他的电影。确认双方趣味相投以后，我们一拍即合。

他的角色叫江河，是一个轻微自闭木讷的地理老师。在戏里，他还会变成物理老师、生理老师。经过了造型师 Luke 的设计后，他真的变成了那样的一个人。当然，这和他闷骚的气质也有关系。他是一个文艺青年，而且对物质和那些浮华没有什么欲求，不争不急。不能想象这个角色还有比他更适合的人。

说演员

01　＼

01　钟汉良 / by 王冠英

钟汉良 /

没有想到的是，钟汉良在演阿吕这个角色的时候完全没有偶像包袱。他出现在电影的中间部分，但角色又非常重要，包括最后干的事情也很匪夷所思。如果演不好，观众都会觉得这个角色莫名其妙。他几乎承载和诉说了一个完整的故事。

第一天来的时候，他就因为对特殊化妆材料的过敏导致了皮肤灼伤。我们要化一个晒伤妆，我还在感叹化妆效果的逼真，没想到是真伤了。但他一直没有说，就是怕耽误拍摄的进度。所幸没有在他脸上留下疤痕。

有一次我看见他拿着一个戏里属于他的烟头漫山遍野乱走，才明白他在找一个垃圾桶。另外在我们换机位和换灯光的十几二十分钟内，他都在一边等待，都不回车里休息，因为他觉得天光有限，生怕自己耽误了。我委婉告诉他，我们这里还在搬东西，需要半个小时。他的反应是：哦，需要我帮忙一起搬吗？

所以一个偶像能走很远一定有他的理由，但是单靠敬业和人品也是不够的。至于钟汉良在《后会无期》里的表演，我相信大家看过以后，都会信服。

Till then / part 2

说演员

01

01　王珞丹 / by 王冠英

王珞丹 /

一开始苏米这个角色并不想找她演，不是因为她不适合，而是因为万一玩砸了，不至于连做朋友都影响。虽然她不是那么现实的人，但我是，我不希望自己做事情拖朋友下水。一直到我确认这个角色一定很好的时候，我们才见面。

我花了半个小时跟她说了另外一个角色以及那个角色拍摄的难度。她听得很高兴。然后我告诉她，你要演的不是我刚才说的那个。

虽然加起来是二十几天的戏，但她给了我们几乎三个月全档期，因为她这个角色是穿插在戏里的，她怕影响我们的拍摄。我觉得，在这部电影里，是最好的她。我认识她那么久，看到那几场戏，依然会恍惚如初识。

Till then / *part 2*

说演员

01

01 陈乔恩 / by 王冠英

陈乔恩 /

陈乔恩从定妆到进组的时间非常紧，她又是电影里第一个出场的女孩子，很重要。由于影片的特殊性，她还是这部电影里唯一一个还换了一套衣服的女孩子。不幸的是，她换的那一套还不如穿的那一套。

我们在车墩影视基地完成了她的戏份。那是几十年前的上海，天气正是最冷时，她需要穿着旗袍穿梭。我保留了她那个 hello kitty 暖手袋，以免让大家觉得我们真的是一部年代戏。

她就穿着那么点衣服，在接近零摄氏度的冬雨里一遍一遍走，我们都很于心不忍。因为下雨，我们拖期了一天，她特地飞回来把那场戏补了。幸运的是，那天她终于穿上了厚厚的棉袄。不幸的是，季节变换后，那天的气温很高。

我们都很喜欢她的表演，乐观、小悲凉、拼搏。在影片的最后，我们给她安排了一个非常圆满的结局，不过粗心的观众可能都不会发现。

说演员

01

02

01　白客 / by 王冠英　　　　02　孔连顺 / by 王冠英

白客 & 孔连顺 /

按理，我应该用一个很俗气的开头，比如"万万没想到他们也来了"，但是没有。他们真的是非常优秀的演员，把两个深情深邃的角色演绎得丝丝入扣。比较遗憾的是叫兽易小星没有随队前来，但他来了也没有什么合适的角色了。

白客的戏非常准，第一遍就可以到位，每次重复的时候，动作丝毫不差，极其专业，给我们剪辑带来了诸多便利。孔连顺的戏比较难，需要特殊技能加持。他和女教练一起练了一晚上，终于得到了这种技能。总之，太喜欢他们，从他们身上，仿佛能看见曾经的自己。

说演员

01

贾樟柯 /

我和贾导是在他的电影《海上传奇》认识的。但是贾导眼睛发炎，在拍我这一部分戏的时候只能睁一只眼闭一只眼。后来他欣然答应了来客串《后会无期》，毫不夸张地说，这是贾导表演生涯的最高峰，肯定能够超过他在自己的《天注定》中东莞选妃那一段。

贾导的演技极好，演出了一种出煤矿而不染的气息。而且他在现场对我这样的新人导演非常照顾。唯一遗憾的是，由于剧情需要，贾导所扮演的这个角色活动范围极为有限，大概一平方米不到，导致我们都没能留下什么好的剧照。

Till then / part 2

说演员

01 ＼

01　高华阳 / by 王冠英

高华阳 /

华阳是我多年的队友。我很早就注意到他的表演天赋。在车队，他从猴子模仿到人，从技师模仿到老板，模仿得……完全不像。但这正是他这个角色需要的。

华阳赛车开得很好，但刚来剧组的时候很没有存在感，因为我们始终没有公布他的照片。原因很简单，他的出场很奇异，我不想让观众知道他是谁，这样才能确保在第一时间不出戏。他很有天赋，且热爱表演事业。如果最后大家都忘了他，就是这部电影成功了；如果最后大家都记得他，就是他成功了。

说演员

01

袁泉 /

她是一个很低调的演员，来现场只有一个朋友做助手，有时候甚至一个人，默默坐在旁边，脑补走戏。无论做什么事情，都不想麻烦别人，而且无论坐多久，我都没看见她把手机拿出来，只是看着现场的人来人往，有时淡然一笑。

她的第二场戏就没有那么有难度了，因为没有了客观条件的束缚，对于袁泉来说就更容易了。她对台词节奏的把握极好，有的时候我在监视器里觉得该说了，她就是会多停顿半秒，结果效果更好；有的时候我觉得该停了，她还多说半句，结果依然是她的更好。几天拍摄很快完成，离别时，大家都很不舍，送别很远。几天后，她又会站在话剧的舞台上。我决定以后会去追她演的每一场话剧。

说演员

01

马达加斯加 /

我们选用了阿拉斯加，作为出现在影片中的狗。无奈，这种巨型犬长得很快。在影片中，我们的狗仅出现了两天。可是在现实生活中，这两天要拍摄一个多月。一个多月狗就不一样大了。我们只能准备五只阿拉斯加，拍一段时间换一只，拍一段时间换一只，让它永远年轻，永远在路上。

它的微博名称为 @ 后会无期马达加斯加。

part 3

《后会无期》诞生史

《后会无期》摄制组

陪着韩寒做电影 /

2010 年 5 月，李玉导演和我通过韩寒的出版人路金波购买了韩寒一本小说的电影改编权。那年 11 月，我们的电影《观音山》在东京电影节获得最佳艺术贡献和最佳女演员两个奖项后开始了电影推广宣传的策划工作。李玉导演和范冰冰都希望请韩寒帮我们创作一首主题歌词。两个女生嘀咕一阵决定拜托路金波帮助安排与韩寒见面，并由我带着《观音山》DVD 先飞上海试探韩寒是否喜欢这个电影。万一韩寒不喜欢《观音山》，后续到达的两个女生就只管大家一起吃饭，不提歌词的事情，省得女生们没面子。

我一落地上海，金波安排的司机就直接把我拉到静安寺附近的璞丽酒店。在金波安排用于看片的套房客厅里，我第一次见到了传说中的韩寒。虽然读过他的几本小说，对于作者的自由风格、散漫形式和幽默文字有强烈的感受，但在见到韩寒本人的时候还是有几分诧异。这是一个留着过眼的长发，黑色皮夹克配着牛仔裤和登山鞋的干练帅小伙。微笑温和、礼貌低调、说话还透着几分羞涩的韩寒，很容易在第一时间就讨人喜欢。

我陪着韩寒与金波一起在客厅的大电视机上看完了《观音山》。赶紧偷着给刚落地虹桥机场的李玉和小范发了一条手机短信："看来韩寒和金波还都蛮喜欢这个电影。"接下来的午饭桌上，李玉请韩寒帮《观音山》写首歌词，韩寒欣然答应。至于我所关心的酬金规模，一句"我只为喜欢的朋友们写歌，从不收费"，立刻想到："如果哪天韩寒也拍电影，我得为他扛活儿，做个志愿者他总不会拒绝我吧。"

两年半里，韩寒给我讲了三个他构思的电影故事。

2010 年 11 月的上海之行，聊天中韩寒摆明就是迟早要拍电影的。不但他身边的朋友们劝他拍电影，一些大的商业电影公司也在拉他入行。"我不会为了拍电影而拍电影，必须准备好了才动手。"韩寒的话，我是完全赞同的。听他讲起喜欢的电影，就知道他是个影迷观众，因为他会津津乐道很多他喜欢的细节。

后来的两年半里，我们多次见面聊天，深夜电话长谈，几乎全都是关于电影和他正在构思的电影故事，尤其深夜的电话里。断断续续，他给我讲过三个电影故事创意，甚至很多蛮有镜头感的故事和人物细节。韩寒的赛车活动不少，除了有机会见面，我基本都是后半夜的凌晨 2 点到 4 点之间给他电话，听他讲讲最近的故事进展。有时，我也听得一头雾水，他说到上一个故事的人物名字时，居然讲的是另一个故事的情节。

到了 2012 年年初的时候，我开始不断地催促他落笔写剧本了。他永远告诉我同一句话："很快就写。"韩寒是个贪玩的家伙，很像我小时候对付暑假作业，不到开学前夕绝不提笔。金波也是这样分享他与韩寒的工作感受："你必须要逼着他，不断催促，否则他永远不会交稿。"2012 年夏天，韩寒和 Lily（他太太金丽华）一起来北京时，在我们劳雷影业的圆形会客厅里，我们聊了整整一个下午。这一次，我以为他下决心动手了，他也是这样说的。结果又没下文了，接着催呗。

终于，韩寒上了起跑线。

2013 年五一放假的那天，接到路金波从上海打来的电话："老方，马上飞来上海，韩寒这次是下决心动手拍电影了。"我更信任金波的判断，当天下午就飞到上海。

这次是韩寒做东，在酒店吃完晚饭后，就在酒店的套房客厅开始了金波所称的三人"遵义会议"。Lily 作为列席，成为见证人。

首先决定了韩寒、金波、我，三人的合作模式与投资结构式是第一个最快的决议。

韩寒作为编剧和导演，主控电影的创作；我作为制片人负责电影的制作；金波作为出品人负责资本组合及对外商务合作。劳雷影业作为承制单位。我们三人都不拿一分片酬，金波主控的果麦文化与我主控的劳雷影业各承担制作成本的 50%。

电影上片后的票房收入首先回收两家公司的现金投入，利润部分由韩寒与两家公司按商定的分成比例各自回收。简单快速的讨论一小时内就形成了决议。

从晚上 10 点到凌晨 3 点的 5 个小时讨论都集中在电影的创意系统和制作计划。这个电影拍什么故事呢？韩寒给我们讲了这些年他脑子里构思的三个电影故事创意。当他讲完《东极岛少年往事》这个创意，我们大家不约而同脱口而出："就是这个了。""这是中国东海最东边的一个小岛，太平洋上第一束阳光照耀到的有人居住的中国东海小岛。"韩寒一边说一边打开了电脑示意我们看东极岛的地理位置。我们都被韩寒的创意所吸引。韩寒原本计划先把这个故事写成小说，金波直接就给下了结论："必须先拍成电影，你以后再写你的小说去。"一个电影项目就这样诞生了。这就是后来韩寒自己取名的处女作电影

《后会无期》。

有了方向，做了决定，聊了一阵故事的推进方向甚至电影的结局，我们三人很快就这个电影项目的实施，进行了细节分工并制订了进度时间表。凌晨4点散会分手时，我已是朝霞满天、蓄势待发了。韩寒终于站在了起跑点上。

韩寒第一次做了编剧，但太不守时。

先有了项目，才来落笔分场剧本，这本身就是时间压力。第一次写电影剧本的韩寒编剧，上来就遇见两个不好对付的老江湖：一个是催稿十年的路金波，一个是不拿编剧当导演的我。说好的三个月交剧本，我们拭目以待。

有了韩寒承诺的三个月交出剧本，其实我们谁心里也没底，金波特别叮嘱我必须不断地催促他。尽管我们也将魏君子作为资深的文学策划人加了进来，加上我自己，我们连续为这个编剧新人开了好几次剧本策划讨论会，到了说好的8月底，仍然只有一个大致的故事走向和提纲。知道他的赛车日程仍然排了不少，我们再次寄希望于韩寒新承诺的10月底吧。

不断地推迟整个项目的进度，都是这个时间承诺不兑现的编剧惹出的祸。韩寒居然有一次问我是否能再请一个编剧进场帮他完成。被我一口否决："我们要的就是你自己独立完成的剧本和电影！"无可奈何的编剧韩寒与无可奈何的我们一群主创人员都只好耐心地彼此容忍吧。根据他口述的电影感觉，我们的主创们也居然开始了全国各地的勘景工作。其间，韩寒倒也还能抽出几段时间带着大家跋山涉水，选出了几处极具特点的地理风貌。看来，跑腿还是比编剧对韩寒更有诱惑。

到了12月初，尽管痛苦地磕磕碰碰，韩寒总算交出第一稿分场剧本。他也终于承认，写剧本比写小说要更花时间。下次要提前更长时间创作剧本。韩寒编剧倒是长了经验，但我们的制作预算由于他的剧本拖延，就上涨了不少。好在韩寒不拿片酬，所有的超支都直接降低了他的利润分成。

韩寒还真让我惊喜了一次新导演的处女登场。

韩寒帮我们《观音山》和《二次曝光》免费创作了主题歌词，我一直想回报他做一个免费的制片人。更是因为这个自由贪玩还蛮有才气的小哥们儿真的很让人喜欢，总想为他的电影心愿做些事情。

2014年2月10日，寒风小雪中的上海远郊，《后会无期》摄制组顺利开机。接下来的几天里，我一天比一天轻松：韩寒还真是能做导演的料。无论是对镜头的把握、对演员的指导、现场控制，还是对灯光、道具、造型的审视，都有他自己主观的判断和选择。尤其他把所有的主创人员都外交成了他的铁杆朋友，我这个制片人还真就可以经常溜号、忙点提前的后期制作安排了。

在整个的前期拍摄期间，韩寒作为导演，与我们的既定拍摄计划总是有一些突如其来的临时变动。这对于全国各地取景的公路电影拍摄会涉及的大队转场，无疑是一次次噩耗。无论我怎么挑战他，总是你说一句，他十句在那等着你。这个狡猾的韩寒，在各种理由百般辩护之余，总会过来轻轻搂着我肩膀，温柔耳语："老方，你不觉得这个变动又给这个电影加分了吗？"只要他韩寒想实现的，制片方都最后输给了他的强辩和温柔。

第一次做导演的韩寒非常投入，旁人会以为他很敬业，我心里明白：这哥们儿是找到好玩上瘾的所爱了。无论是车拍、船拍，还是航拍，我看他是入了迷，从此无法抽身了。转场内蒙古的前夜，韩寒突发奇想，问我能否为电影制作一个巨大的火箭残骸。创意很好，十天的工期，如何完成？好吧，你韩寒能出创意，我老方就没有干不出来的工程。调动我上海科技公司的工程技术人员和工厂设施，全部停工为他的神来创意加班加点，还真就按期交货，满足了他的拍摄需求。

最令人欣赏韩寒的，更在他投入后期制作的没日没夜。无论是影片的剪辑、调光、音效、配乐，甚至点点滴滴的对白补录，以及片头片尾的字幕，无一不亲自下手，盯到最后一刻。难得一个新人，会如此倾注心血，玩命不顾。

《后会无期》成就了韩寒的电影梦。

2014年7月9日下午，为送电影技术审查，在韩寒之前，我第一个看了《后会无期》的完成片。带着还留在眼里的泪花，我离开调光棚冲进声音终混棚，抓住正在参与音效检查的韩寒，连续拥抱了他三次。这是我看过的迄今为止，2014年最好的中国电影！谢谢韩寒，我们一群人没有看错你这个新人。

做过几部电影 /
依然弄不懂《后会无期》/

文 / 魏君子 /

方励找我做韩寒电影策划时，我正跟李玉合作《万物生长》剧本。《万物生长》改编自冯唐的小说，我以为韩寒这部同理，所以特意先找韩寒的小说看。在此之前，我看过他的《三重门》《长安乱》《1988：我想和这个世界谈谈》。所谓"最好交情见面初"，最喜欢的还是处女作，因为《三重门》是我刚毕业时收获的惊喜，当时真觉得是我们这代小镇青年的《围城》，加上彼此学习成绩都不怎么样的相同经历情感投射，倒是一直对韩寒保持关注。后来读他的杂文居多，发现多复杂的事到他那里都能深入浅出，没法不认同他越辩越明的道理。与此同时也加深了我对韩寒的一个特别印象，干过那么多次笔仗，居然从没输过，就觉得这小子不是善茬，既然今番有机会合作，心底难免抱着不是冤家不聚头的准备。

老实说，电影策划这个岗位并不难做，如果你只想混个吃喝，不妨先察言观色，老板、制片人、导演，谁话事？待良禽择木而栖之后，便可冠冠堂皇不咸不淡讲几句，从创作，从市场，从禁忌尺寸，从天下大势……反正是站着说话不腰疼，挨到讨论结束就可以拍拍屁股领钱走人了。我当然不想做这种策划，制片人方励和导演韩寒显然也需要一个实干的团队，那么，韩寒要做一部什么样的电影呢？

作家拍电影，最方便就是改编自己的作品，有家喻户晓的原著基础，也容易让读者粉丝买单，此前也不乏成功先例。但韩寒第一次开会就说，他要另起炉灶，做一个全新的故事，关于公路、青春、冒险，讲述两个年轻人从小岛到大陆的旅程。OK，类型、人物、故事，大方向定了，之后就开始讨论怎么做了，《逍遥骑士》《末路狂花》《中央车站》……很多公路片都成为参考和拉片对象。虽然每次都聊得神游八极，但总有火花撞出，类似这种情形与其他电影的前期创作讨论没有什么不同，包括是残酷多一点，幽默多一点，表达多一点，都很正常。但随着时间流逝，大家讨论得越多，韩寒"独立思考"的真面目也就逐渐显露。

正如韩寒当年受《终结者2》《真实的谎言》《生死时速》《侏罗纪公园》启蒙爱上电影一样，他完全明白应该怎样做一部类型片。每次讨论到具体桥段，怎样设计悬念、幽默、节奏，他都有非常精彩的发挥，从这方面讲，韩寒是个天才，"触类旁通"这个词最适合形容其聪慧。但问题是，我们讨论得越充分具体，他就越明确知道这些都不是他想要的。于是，不断地推倒重来开始，我当然明白这是前期创作的必经煎熬，但问题是每当讨论出还算满意的成果，而且韩寒明明是最热衷、贡献最多的那一个，依然会被他下一次毫不留情地推翻。如此再三，难免会有疑问，韩寒究竟想要什么？

后来看到韩寒的剧本，恍然大悟。答案很简单，他不想重复别人，他要做一部属于韩寒的电影，处处打上他个人标签的趣味、风格、表达，公路片只是一个形式。既然如此，为什么还要大费周章，去做各种不同方向的准备和讨论呢？或许，这是韩寒第一次做电影故意要做的功课，他需要了解各种，但不一定照做；他向我们证明有能力做各种，但最后还是选择做自己。我们的前功并非尽弃，因为韩寒做的不是判断题，而是选择题。

与韩寒合作《后会无期》，从前期策划到上映前的宣传，由头至尾参与其中，最大感受是不断刷新之前做电影的经验。不重复别人，说来容易，做自己更难；不一味迎合观众的口味，有几个人敢说呢？除非不想要票房了。但韩寒都做了，也说了。

宣传界认为最能代表人气和票房的"大数据"更是接连被《后会无期》打破，不断创造新的纪录。从各种方面看，这都会是一部票房和口碑应该不错的电影。

唉，做过几部电影，依然弄不懂《后会无期》，因为，这是韩寒。

三一見 /

筹备

导演行政统筹 / 于梦 /

2010 年冬，临近春节，廖拟说韩 Sir 召唤，要给我们一个惊喜，要了我们身份证号说是用来订票。

动车到了上海已是晚上，韩寒赛车领航员孙强把我们接到上海市郊区一个住宅区。进入一个四居室，几张办公桌上堆着各种文件，一副编辑部的样子。最里面房间传来喝彩声，推门进入，十几台电脑像黑网吧里一样杂乱地摆着，七八个人在打一款即时战略游戏，韩寒满脸兴奋，玩兴正浓，招呼我们加入战队。

打游戏到凌晨三点左右，外面吃完夜宵，韩寒说，明天再见。

第二天傍晚他出现，带着我们去 KTV 唱歌到半夜，吃完夜宵，韩寒满脸兴奋说，明天再见。

第三天韩寒中午出现，开车去亭林镇瞎转，乱钻一些过车都困难的巷子，看到一些商铺取得不明所以的店名会一通嘲笑。路过一个插满各种红绿蓝旗的房子，他觉得这些门外的旗子插得很搞笑，在车里笑了一会儿。本来已路过，他从后视镜看了一眼，倒车回去把旗子拔出来重插了一遍，完了，心满意足地说了句，这下整齐了吧。

晚上在韩寒爷爷家就着微弱的灯光吃饭，让我感觉像是回到自己家乡——老家农村那些爷爷奶奶也是不舍得用电，挂着昏黄灯泡。

我和廖拟、张磊觉得这哥们儿估计也没啥事跟我们说了，打算隔天离开。

半夜我们本已睡了，韩寒又满脸兴奋地出现了，把我们带到他家。我们在客厅里坐着等，韩寒从房间抱出一个婴儿，他说，看，这就是惊喜。宝宝一下子就哭了，韩寒妈妈从房间出来抱怨韩寒大半夜的别吓着孩子，把小野给抱回去了。

然后我们跟着他到了地下室，一个书架和书桌，上面杂乱地摆放着奖杯和头盔，以及一些书。

他跟我们瞎聊了一会儿，从书桌上拿起一张纸，笑嘻嘻地说："你们听一听这个。"

"平静的海面上，远处一艘军舰开过，海面上升起一只屁股……"

读了半页，他问这里拍出来，时长大概是多少。我们说了一个时长，他哈哈一笑说怎么和他想象中的有点不一样啊。

"我再研究研究。"他说。

接着他宣布："你们把明年春天的时间都留出来，预计3月1日开机。"哥几个异口同声说，不可能。马上春节了，现在故事只有半张纸，两个月后开机，真的不可能。

韩寒说故事都在他脑子里，分分钟就能写出来。我们依然疑惑，开机筹备还得有一段时间呢。他很有信心，说立字为证。他找来一本《1988：我想和这个世界谈谈》，在扉页上写下"三一见"，"见"是繁体。

转眼过了春节，2月28日，我给韩寒发了个短信："韩Sir，明天开机吗？"

韩寒当时没回复，我想他一定很忙。

我下一次收到他回复是2013年6月，他说："后面半年有空的话把时间留着，我要拍电影了。"电话那头感觉到他依然是那个样子，满脸兴奋。

他又来了，我心里说。

一年后，就在写下这些文字的今天凌晨，2014 年 7 月 10 日星期四，北京郊区一个后期工作室里，韩寒说片子全部弄完了。他发动汽车，行驶在东五环上，边开车边尝试调出蓝牙和手机对接，想要再听一遍电影的主题曲，一直没有成功，后来放弃了。如果是剧情设置来说，这个时候他该满脸兴奋。

其实没有，他面容平静，一路目视远方。

拍到博什瓦黑 /

摄影指导 / 廖拟 /

博什瓦黑是西昌深山里一间村庄的名字，准确地讲，它只是一堆石头的名字。这个古怪漂亮不明觉厉的彝文翻译过来是：这里的石头上有画。

10年前，记得大学快毕业那年寒假，春节刚过，大家心情不是很好。磊子、周展、李然来西昌找我，准备去泸沽湖。约定很散漫，人也始终凑不齐，就滞留在西昌城里好几天。我们其实都不是爱旅游的人，知道城外有许多风景名胜却每天无所事事地在城市里各种奇怪的场所乱逛，去枯河滩看人家卖马或是去废弃体育场坐着喝酒，天气都特别好，几次回忆都把这段搞错成了夏天。

后来有几天，大家突然颓了，待在家里哪儿都不去，一起看书上网聊天看片，很像宿舍生活。我爸有些看不下去，鼓励我们多出去走走，不知他从哪里找来一份西昌旅游地图，有很多不景气的景点介绍。我们看中了"博什瓦黑"这个名字，就坐车去了。是车坐错了，还是那地儿根本没开发，记不清了。车把我们搁在路边，司机说我们必须得走上两小时山路才能到达。

红色的土路贯穿始终，两旁都是像《七龙珠》中那美克星上的半人高灌木。村子很穷，彝族小孩拖着鼻涕跟着我们跑，狗左右闪躲，途中还有刚建好的高压塔，从下面过，嗡嗡地响，有点害怕。经过垭口，风大了起来，人都站不稳，云速加快，路忽明忽暗。土路走烦了，大家下到河道里蹚着水边走，没见到鱼或蟹类，连水草都没有。体力即将耗尽，风停了，河也似乎到了尽头，地图的意思是前面不远处那座山上就是目的地了。

我们轻松地在密林深处找到了那几块大石头，一共三块，每块跟卡车一样大。这些石头和旁边的植被风格完全不搭，像是足球场上的易拉罐，不知道它们是怎么来这儿的。石头上确实有若隐若现的线条，后退几步就能辨别出有些是人形，有些是动物形，有些姿态大概和宗教有关，具体什么朝代和意义我们便漠不关心了。艰难地攀爬到石头的顶端，是一个较为倾斜的平面，上面也有岩画，线条里有干枯的苔藓，还有游客的刻字。我们躺在这些上面休息聊天，远处山中有山民在无聊地哇哇叫喊，我们跟着哇哇，山民哇哇，我们哇哇……几近黄昏，又起风，好冷。云紫色的，每个人分别领了一道金边，那种光后来只有在《变形金刚》里见过。

5年前，又是春节，回到西昌。那天是大年三十，有些怀旧，我和爸爸上午出发，准备骑单车带他去看我赞叹了几年的博什瓦黑。又是记忆出了问题，错判了距离，在整个路程的三分之一处就体力耗尽。中途拦了个农用卡车，把我们快进到当年班车司机放下我们的地点重新开始。路和植物都还是老样子，当年的儿童变成了青年披着斗篷蹲在路边拿着啤酒，新的儿童和狗尖叫着加入进来尾随奔跑。还差一点就到达目的地，但天色已晚，我建议此地不可久留。爸爸不听我的劝告，要看岩画，错过了回程的天光。我们在黑暗与饥饿中骑行了四个小时，错过了年夜饭，但依然美好。

想起韩寒，他也是个有乡愁的人。刚认识他的时候就经常开车带我去他老家附近那些光怪陆离的地方游玩，一所中学后门菜地里的烂水塘、水泥厂职工休息的宿舍门口、杂草丛生的废弃雕塑园、铁轨旁边的粪坑……

成为朋友后，我们经常在祖国各地指着一扇门或是某个岔路口评头论足，然后驱车千里去另一面墙或另一条小河沟拍案叫绝，乐此不疲。

这些地方便是他的博什瓦黑，需要无所事事和松散的生活才能找到的地方。我们都明白这是好可贵的情怀。

今年春天，我们拍到了博什瓦黑，和拍到了亭林镇、台球厅一样，是一件幸福的事情。

01 赤峰翁牛特旗通宵夜戏拍摄篝火对话的全景 / by 刘玺

02 在赤峰不吃羊肉怎么行？移动摄影组自己焊接铁烤架给大家
烤羊肉串吃 / by 刘玺

03　日沉地平线 / by 王冠英
04　赤峰沙漠中拍了一个通宵夜戏 / by 王冠英

01

01 筲箕湾美术组搭建的江河老师宿舍内，韩寒沉思图 / by 廖拟

02 绍峰与沈家门东港武陵隧道的合影 / by 韩寒

03 柏霖也和武陵隧道来了一张合影 / by 韩寒

我把灵魂与生命分给他们 /

造型指导 / 黄育男（中国台湾）/

（这些角色会穿着这些衣服在另一个时空生活着）

提问者：请谈一谈这部电影的造型构思。

黄育男：韩寒与我都很喜欢 90 年代的氛围，充满了我们的青春回忆。韩寒是因为看了《翻滚吧！阿信》而来找我。《翻滚吧！阿信》的年代是 90 年代，那是刘德华的追梦人年代。因为有年代限制，所以板型是无法天马行空的，例如刘德华倒三角轮廓的牛仔外套、窄裤脚的牛仔裤，有一定的公式必须遵循。

但这让我有了这部电影的灵感，Vintage 若突破年代限制（《后会无期》的故事并不是发生在 90 年代），同时也很适合公路电影的调性。旧旧的、耐脏的、一套到底、生命的厚度，那是一件东西要用很久、很珍惜的年代，牛仔裤磅数高、耐穿，家具也是，是有灵魂的。

欧洲的公路电影都爱用 Vintage，因为 Vintage 是一种传承、一种生命的累积；一件皮衣，阿公传给爸爸，爸爸传给儿子，就算电影结束他们也还会一直传承下去，"keeping walking"，这些角色会穿着这些衣服在另一个时空生活着。

Vintage 的质感存在着灵魂，是买新衣服来怎么做旧都做不出来的；就像整形，再怎么整，都不会比造物者给你天生的东西自然。

公路电影的造型不能太抢、太刻意，需要以布花、布纹、质感、颜色去呈现风格。

且需要耐脏、风尘仆仆的感觉，这一切 Vintage 完全可以达到。就像江河在沙漠中的那件睡袍，不是现代会有的配色与织法。

苏米的大衣，会随着光影变化，乍看是咖啡色，在黄光下又带着墨绿；Vintage 的颜色不会是死的颜色，暧昧最有意思，颜色的拿捏也是电影感的形塑要件。看似单色的布，在某些反光下，可以隐约看见布料上的压条。电影感就是由这些小细节去堆砌出来的，电影的美感来自于暧昧。

提问者：在构思与执行这些造型的过程中，是否考虑过中国普遍观众

144

的接受度？

黄育男：我们在写实与美化间做了一些抉择，在带领观众或忠实呈现、讨好观众中选择了前者。这是我们相信电影所应该做的，是我们对于电影的使命感。

（那是演技眉，修不得）

提问者：妆容发型这一块的操作方式是？

黄育男：《后会无期》里的妆都是瑕疵不完美的。在电影中，不完美才是完美。女演员不修眉、维持自然原始的眉形，增加演员生命的力度；我都说那是演技眉，修不得。压唇色、做出唇纹、加雀斑、只稍微刷点透明睫毛膏。头发不刻意吹顺，带着自然的毛躁，让角色更有生命力。

江河（陈柏霖）完全素颜，把他原本的肤质赤裸呈现出来。公路电影的男性要呈现一种粗糙感，他原本的质是够的，加了任何东西都会掩盖掉。什么都不画，他的质就会自己跳出来。

马浩汉（冯绍峰）则是以特效化妆的手法来操作一般妆容。因为冯绍峰的长相太完美，细皮嫩肉、奶油小生、俊秀的脸庞。我们改变了他的肤质、骨骼轮廓，赋予他新的眉形，来形塑他新的个性，赋予角色真实的力度，让人相信这个人、这个生命是真实存在的。我们细微到连他的手都改变了肤色、质感（粗糙感）。

　　　　　　　　（如果你被困在一个风景，就会很难看到下一个风景）

提问者：完成这部电影后，有没有什么感触？

黄育男：这是我第一次做公路电影。电影杀青后，好像自己也经历了一段旅程，我把自己的灵魂与生命分给了他们。

人的一生会看到许多风景，如果你被困在一个风景，就会很难看到下一个风景。

01 画面中是移动摄影组和斯坦尼康摄影师瑞克 / by 王冠英

01   东极岛难得的好天气，这天大家都非常高兴 / by 李佳鸢

02   柏霖的这身雨衣很有年代感，是造型指导 Luke 从当地居民那儿找来的
        / by 李佳鸢

01

02

03　导演、摄影师、现场副导演仨车匪路霸合影图 / by 于梦

04　在大风之中，异常兴奋的导演正朝着他想象中的万千观众欢呼挥舞
棉服 / by 于梦

一个画画的人与《后会无期》/

画面

分镜师 / 1号海报设计师 / 王溥 /

作为一个自由散漫的美术工作者，得到这次邀稿的信息之后着实发
怵，心想还不如画几篇小品漫画更能表现自如。每天涂涂画画，疏于
文笔，所以下面就以小学作文水平讲述一下我参与电影《后会无期》
的一些经历。

我的工作室主业是给电影做前期美术设计方面的支持，一般情况都是
行内人介绍，某某导演新片需要概念设计，画分镜头等等，再逐步详
谈。年初时某导演朋友介绍说韩寒要拍的新片，找我画分镜，我的第
一反应是"他不是个著名作家吗？"。在联系沟通好了工作行程之后，
我跟工作室的伙伴们征集了韩寒的小说。因为此前我只是知道韩寒，
但是没有读过他的书，作为补课，我得先拜读一下。这也是个工作习
惯，在见某导演之前，先了解一下他之前的创作，知道他的风格类型，
利于工作时的沟通。不过时间有限，只读完了《1988》，紧接着收到
了《后会无期》的剧本，看完之后觉得挺对脾气的，预想这段工作应
该能顺心。对于看重工作时的心情如何这点，我想各位从事美术设计

行业的同人们都能心照不宣吧。

一月初来到上海，负责接待的制片小哥把我带到酒店房间。客客气气地送走他之后，一个人坐在这个标间里等着导演助理，心想"又是一个月的关禁闭"。"关禁闭"时跟剧组画分镜的活动空间就是居住的酒店标准间。如果酒店不失火的话，这一个月可以一步都不出门。

见到摄影师之后工作就开始了，这时才知道具体的工作方式。分镜头由摄影师和导演先确定好了草案，我按照摄影师勾画的草图将画面完成，这对我来说相对轻松。

所以大家看到的分镜头画稿，设计者是摄影师，我属于代工。顺便提一句，摄影师的草图画得很可爱，我工作室的同人对草图的喜爱程度胜于我画的正稿。当画完第一天的部分画稿时，我终于见到了传说中的韩导。他没什么名人做派，说话声音不大，交谈起来很轻松。

导演看了画稿之后表示满意，我也确定了这次分镜画稿的绘画风格。因为喜欢公路片，这次的故事调子是我比较擅长的，绘画技法也是粗犷勾线加灰调子光影为主。就这样，工作顺利开始，每天收到草图，摄影师讲解要点，次日导演摄影师来验收正稿（我称之为放债与收债），接着大家讨论镜头设计，再聊点闲篇儿。休息时间自由把握，

152

每天过得很快。

中途导演助理梦哥带我去福州路补给画具，算是放风吧，顺便买了两本书。感谢他的帮助，我才没在那小屋里憋出毛病来。白天工作时我一般都开着房门，对门是试装的房间，经常有人来我这串门，大家也好奇看看整天伏案画画的人是个什么状态。导演也会悄无声息地进来，可能是我戴着耳机听音乐的缘故，总之经常一抬头就看见他站在桌前。他跟我闲聊时问我现在画这种风格的电影是不是比较顺手，喜欢哪类电影。我说喜欢公路片和有质感的电影，不喜欢唯美干净靓丽纯情的都市爱情片。他问整天画画，反复地做同一件事会不会没感觉了。我当时说画画还好，起码每幅画不一样。现在想想，其实有些工作画第一张的时候就没感觉了，完成它只是为利益。

这样的工作节奏，时间过得很快，回京之后在工作室整理这次的画稿，发现成果还是很满意的。总结起来就是沟通无障碍，直接跟创作核心沟通，不掺杂中间人，也没有无理翻案修改这些糟心事，创作专业，绘画过程中还是很愉悦的，所以主观上也想把这次的画画好。在工作20天满期的时候，一共画了570张左右的画稿，这个成果也让我有点惊讶。

接下来是先导海报的设计和绘制，这个时间剧组正在奔波各地紧张地拍摄，我在北京的工作室被一个广告项目蹂躏。当接到设计海报这个光荣而艰巨的任务后，我果断将其他工作交给了其他人员。因为导演希望以手绘风格完成海报，这个活儿就不太好分配出去了，我个人是不愿意在同一张画里看到不一样的排线风格的，本着对绘画尊重的态度只好独自完成了。所有的沟通都是通过手机远程进行，总有一段时间联系不上，后得知当时导演正在船上乘风破浪地拍摄。这种等待出海人音信的感觉，总让我觉得手机那头是一队辛苦的渔民。海报的元素创意是导演的提议，我在尝试了几幅构图之后大家确定下来其中一幅，跟后来发布的海报构图基本一样，只是上下颠倒了，这个名副其实的"颠覆"是画到一半时发生的。原本的创意上面是沙漠，旅行者号漂在海上，下面大半部分是海水，效果也还好，但是大家都头疼海底部分放什么都觉得像灾难片。后来我想不然下面是天空好了，这个效果大不一样，导演也很快就认可了。这些基本的构图敲定之后，我先完成了工作量较大的排线部分，旅行者号、天空和海水，海报的样貌基本成型。导演开始丰富画面的创意，陆续加入了海岛、渔船、海里的小雨，那颗粉色的流星。对，是流星，起初跟现实中流星一样，是从天而降的形态，在最后时刻，导演提议改成一颗升起的流星，完成了这张海报最终的构成。

完成海报之后，我也发现了一个小惊喜：导演每新加一个元素，我就凭感觉把它放在一个看着舒服的位置，并调成舒服的大小，在大构图中也注意协调关系。当最后完成时，我发现如果以粉色的流星为顶点，分别与旅行者号、渔船和海岛连线，再把后三者相连，组成了一个有空间感的金字塔，而这个金字塔的关键是那颗由降落改为上升的流星，这让我为之一振。

也许你会说"这有什么，大惊小怪"，我想说的也并不是这张画有多好，而是在感慨由导演的引导完成了一张我自己感觉舒服的画，这点非常难得。

在一个由外行人指挥内行人已成风气的大环境中，无数设计师被迫做了多少自己不忍再看的东西，能在一项工作中体会到正确的创意交流，与一个思路清晰的导演合作设计出一个满意的作品，这就是值得怀念的一刻。

好了，就说这么多吧，撰文果然要比画画累得多啊。希望能与韩导再次合作，后会还是有期的。

马浩汉与我 /

冯绍峰 /

韩寒来找我拍《后会无期》的时候，说他想拍摄一个有趣的公路故事，他不需要观众看完一定要有启发，因为他最讨厌的就是阅读理解式的说教。我非常认同这个态度，就像他说的："有多少人听过很多道理，却依然过不好这一生。"人生是自己的，并不会因为一部电影就得到升华。

但遇到马浩汉这个角色之后，我又矛盾起来，又希望有人如果在他身上找到自己的影子，能从他的悲剧中找到点什么，改变些什么，然后获得幸福。

我不知道韩寒在写马浩汉这个角色时想的是什么。他曾说，这是他希望成为，却又永远无法成为的人。我曾很诧异，他想要成为一个悲剧而痛苦的英雄？但与"马浩汉"相处了三个多月后，我越来越离不开这个角色。我发现他的勇敢无畏，他的无能为力，甚至因为他内心的痛苦而痛苦。杀青后的很长一段时间里，我都常常想起他，仿佛回到那条公路上，变成马浩汉，再一次毅然决然地离开东极岛，走向外面的世界。我第一次希望每一个看过电影的观众，都能够给这个角色一点爱和温暖，你们可以把这当作我的私心。

撇开朋友关系，作为一个演员，韩寒这个导演在我心里已经合格了。他个性放荡不羁，也贪玩，我本来以为和他拍戏应该很爽，收工后一起聊聊天起码能做到。但是在片场的三个多月，他非常忙，每场戏拍完他都立即冲进剪辑室里。他的现场把控能力也很好，作为一个新导演，已经很令人钦佩与欣赏。

不管观众们对电影的评价如何，希望大家能看到他的用心。这是韩寒第一次拍电影，但我希望不是最后一部。都说相逢有时，后会无期，希望我们因电影建立起来的缘分，能够此去不经年，后会能有期。

Que Sera Sera/

陈柏霖 /

2013 年 11 月 10 日，接到了来自制片人方励的电话。整个聊天的内容像是一封邀请函，而我，再一次接受他这个有点意外的邀请。

在得知导演是韩寒，搭档有绍峰，在另外其他演员都还未定的情况下，我欣然答应了！因为我也是个"冒险家"。就这样，过完了农历新年，我踏上了《后会无期》之旅。

拍摄的第一天，因为导演是韩寒，所以天空飘着雪花。而我的口音，也让大家贴了暖宝。浓浓的台湾口音，让我格格不入……所以"江河"来自南方。

我所饰演的角色"江河"，是位地理老师。这是我第一次饰演老师。严格说起来，第一天拍完车内戏，接下来应该就是拍摄教室的戏了，没想到第二天的拍摄，让我记忆犹新，因为我对着马桶，投入了各种情感……一整天。

韩寒很幽默。我印象最深的就是当天拍摄洗手间的戏，因为很冷，有了暖炉，我在那儿取暖，剧照师就拍了张照片，拍到了我的手……我的拇指是弯的。韩寒看了照片后——

韩寒：柏霖，你的拇指好弯啊！

我：是吗？真的耶！你呢？

韩寒：我是直的。

我：哦？！

韩寒：因为我是直男。

这是我在片场听到他第一个算是笑话的说话，当然，往后的拍摄，这类型的说话不胜枚举，但，很多是高级&成熟的笑话，我就不方便说了……

与韩寒有着奇妙的默契，观影的品位、音乐的口味、文字的喜爱、善良的叛逆，更有时，很多影迷说，我们其实长得有点像。也许当他在帮电影《观音山》写主题曲的歌词时，已经注定了我们将会在《后会无期》中相遇。

绍峰很男人，心思很细腻，很注重音乐的品质，他电脑里的音乐绝对是最高音质，他说要不听起来会不舒服。

和他的相处很愉快，我们在一起最长待着的空间，就是车子里，因为这是一部公路片。我们常在车里聊天，从电影聊到音乐，从导演聊到女演员，从外太空聊到内脏。几乎每天都见面，除了我们洗澡睡觉的时间。他也是个爱车的男人。

我、韩寒、绍峰、高华阳，在微信里有个群组，叫"影帝组，找到感觉了"。里面多半是当天要拍摄的剧本台词、剧照，再来就是"车子"了。高华阳，是与韩寒同车队的车手。

高华阳，又名搞花样，为人心地善良，木木讷讷，还会咏春，是我们组里的开心果，常常聊赛车、摩托车、功夫。从他认识我之后，一直想教我车子的知识，教我如何漂移……但都还没有……在电影里，我觉得他是唯一一位用本色演出的演员，因为这是他第一次参与电影演出……很可爱，也很可贵……他爱陈乔恩。

演了那么多戏，其实，我依旧不清楚，什么才是演戏。也许是信任，也许是环境，也许，所有的相遇，真的就是久违的重逢。这些，我在《后会无期》的剧组里，都感受到，并且找到了。

《后会无期》，对我而言，不像是工作，而像是非常重要的一趟旅程……

我曾是江河，也曾经是马浩汉，更有时，我也像是阿吕……

《后会无期》，就像是数十道阳光，它照映出了自己不同时期的影子——过去的剪影、未来的憧憬；它也像是月光，在漆黑中，陪伴着你；它更像是星空，有着数以亿计的未知与期待……

回忆是一条直线，但未来，是无限的虚线，等着我们一一连线，描绘自己的人生。

感谢《后会无期》，感谢电影的存在，使我们相遇。

Que Sera Sera...

游 离 /

Drift /

高华阳 /

这篇文章写在电影《后会无期》上映前。此时的我，仍然以一种"游离"的状态存在于这部电影中，就好像这么多年以来我一直存在的方式一样。只不过，这一次是导演和我之间的一个约定罢了。

从我成长为一个男人开始，这种"游离"状态就一直陪伴着我。记得还在上高中时，我苦练篮球，还主攻过一段时间田径，可那段时间最勾着我的事情是组建一支摇滚乐队。上大学后，本以为自己这辈子就要跟音乐死嗑，却误打误撞成了职业赛车手，一干就是十二年。我发现自己总是在一个身份之外，专心地做另外一件事儿。

就在我专心赛车的第十一年中的某一天，队友韩寒神秘兮兮又故作随意地问我："我们要去一个地方试片，你要没事就过来替我们当当模特。"于是，抱着好玩儿的心态我加入了《记一件难忘的事》（《后会无期》当时的名字）试片摄制组。

拍摄过程一点儿都不复杂，很顺利，就是有些熬人。据看过样片的人说，我的表现很不错，使劲儿演，一点儿都不像外行。后来，这件事儿就随着紧张的赛季进程逐渐被淡忘了。再后来，就是2014年的大年初三接到制片方通知进入《欢天喜地过大年》（《后会无期》当时的名字）剧组报到。

我这个人的身体素质很好，很少生病，但是第一次试妆那天我就病倒了。这其中发生的事情也都浑浑噩噩地记不清了，只记得生平第一次像个演员一样拿到了剧本——《农业频道年度总结》（真的，《后会无期》当时的确叫这个名字）。

我很了解自己，距离今年赛季开始还有几个月的时间。在这之前，又要"游离"到另一个我不熟悉的世界了。这么多年，我养成了学习时做笔记的习惯，所以随手记下一些"演员的自我修养"，有助于我尽快进入演员这个角色，忘记自己车手的身份。

随着影片的拍摄，我仿佛真的忘记自己是个车手。直到赛季开始，我也开始赛场、剧组两头儿赶，终于意识到游离于两种身份之间的巨大差异。除了工作任务截然不同，具体的表现就是在这趟航班上仔细记录着演戏的点点滴滴，下趟航班上又拿着赛车笔记涂涂画画。

但是，这一次的"游离"又好像与以前的不太一样。

首先，在进入赛车这行后就再也没想过会去干别的，更别说去参与拍电影这种神秘高端上档次的事情了。而且一上来就是头顶着韩寒导演光环、大制作、不演死尸、不是路人甲，有台词有角色的那种。我知道这种机会对于专业演员来说多么难得，所以我也不想搞砸它。欣慰的是不光导演发现我不为己知的一面，还有很多人支持并欣赏我的表演，让我有种想要转行的冲动。

按照和剧组签署的保密协议，我不可以让别人知道我参与这部电影的任何信息，直接进入隐身模式。（这也是为什么很多朋友询问我关于这部电影时我总是拈花一笑、笑而不语、顾左右而言他的原因，请你们见谅。）

所以，无论是在影片拍得如火如荼时，还是在上映前紧张繁忙的后期工作中，我都一直在怒刷不存在感。"游离"在"在"与"不在"之间。当然，在你们看过这部电影后，这种"游离"也就不复存在了，到那时导演为我精心设计的出场方式也一定会为影片和人物增色不少。

"游离"这种状态，其实是我对于正在从事的工作的一种专注的方式，也是我对待人生的一种态度，所以无论何时你都不会忘了你是谁。完全地转换身份去做事，才能完全地放下姿态去待人。这是我所理解的世界。

我是胡生，虽然我的父母生我生得很草率，但这并不是我叫胡生的主要原因。《后会无期》（终于到它现在的名字了），后会应有期。

剧组难忘的日子 /

制片主任 / 黄鹰 /

由著名作家、赛车手韩寒自编自导的电影《后会无期》在 2014 年 5 月 26 日顺利杀青了。我作为该剧组的制片主任，亲身经历了从筹备、选景、拍摄到杀青的整个过程。剧组生活、工作中的欢笑和艰辛，在我脑海中久久无法抹去。

我是 2013 年 8 月初第一批进组，开始陪同导演和制片人采风、看景、选景、复景，前后参与筹备 6 个多月，拍摄 3 个半月。在这 10 多个月的剧组生活里，结识了很多难舍难分的朋友，学到了很多闻所未闻的知识，积累了很多处理突发事情的经验，增加了人生阅历。当然一部电影的拍摄也不是那么一帆风顺的，特别是幕后一些鲜为人知的事情发生，时常会让人心跳加速。

心跳加速之一：开机。

原定的开机时间是 2014 年 2 月 7 日，但由于上海天气突变，接连几天狂风暴雨，只好将开机时间推迟到 2 月 10 日。9 日晚上我们在上海旗山大酒店组织召开了盛大隆重的开机仪式，考虑到明天是开机的第一天，早上 6 点钟就要出早工，路途比较远，还有很多开机前的准备工作要再次检查落实，会餐前就通知所有制片部门人员当晚不得喝酒，餐后再次检查明天工作的准备情况，忙完所有事情是半夜 2 点。刚躺下不久，电话响起，一看时间才 4 点过几分，电话那头是上海外联。他早上 4 点出发去接上海一家电影特效公司人员，发现户外漫天大雪，道路结冰，高速路也被封闭，问我怎么办，今天是否正常开工。我当即坚定地告诉他，一切按原计划进行。我急忙叫醒现场制片和场务兄弟，分头通知出工的驾驶人员，立即到宾馆大厅集合，开个紧急短会，提前发车。5 点前将人员集中一起，我再次强调了今天恶劣天气出车的安全问题，路上结冰一定要保持车距。当通知发车时很多当地司机都以不认识路为由，原地不动。我很奇怪，他们都是当地司机，昨天还专门派车送驾驶人员去认了现场，今天怎么就找不到路了？感觉今天这帮司机怪怪的，也没有时间多想。好在剧组还聘请了几辆拉道具的救援拖板车，他们与这帮专门跑剧组的司机不认识，对上海地区的道路也很熟悉，当即安排他们每辆车带几辆其他车辆立即出发，车上安排场务兄弟带上对讲机押车，5 点半前将所有车辆都顺利发出。80 公里路途走了三个小时才到达，途中车辆漂移、原地 360 度掉头时有发生，好在路上没有其他车辆，我们自己的车队距离也拉得很开，才避免了事故发生。

我们按原计划完成了开机仪式和第一天的拍摄，收工回来后才被告知，我们出发后不久，车墩掌控剧组车辆的江湖老大，在我们出发后不久带着自制的拦路工具来到剧组驻地，准备封路阻止我们开工，因为他们要求在上海拍戏就必须全部租用他们的车辆，以控制剧组车辆来漫天要价。他们前一天晚上找了部分剧组司机，要求配合他们拒绝出车。幸亏老天帮忙，或是人品爆发，我们提前出车，才避免了一场不必要的冲突。当晚赶紧找到当地朋友出面协调、斡旋，才摆平了此事，确保了剧组前后三次进入上海、租车、拍摄的顺利进行。

心跳加速二：转场。

这部电影遇到的最大困难就是大转场，我们前后转场7次，用时20天，占拍摄周期的五分之一时间，行程10000多公里，几乎用尽了国内的所有交通运输工具，用到了飞机、火车、汽车、沙漠越野车、轮船、游艇、登陆艇等。

每转到一个新拍摄地，当导演确定了拍摄周期后，制片部门就要开始制作下一个转场计划了，提前预订飞机票、火车票；查询转场线路和公里数，给器材车辆驾驶员商定转场费用和时间；选定押车人员及交代每天的安全汇报制度；新目的地的接送车辆及吃住。每一项工作都要具体落实分工到人头上。而且每到一个新地方，就要在当地租用一批陌生车辆。所以对车辆的性能和车况掌控，就不能完全按照我们的意图执行了。车辆途中出现各种意外，也要我们有各种快速应急预案。3月23日从四川西昌转场去上海的途中，事情就发生了。原定计划是22辆车早上7点一起从西昌出发，下午5点在成都上火车去上海。7点前我们逐一将车发出，由于有500多公里高速路，车队无法编队前行，只好各自为政。当大部分车辆走出200公里外的休息站时，我接到电话，说后面拉摄影组人员和器材的车辆爆缸坏在高速路边了，经电话和司机确认无法继续开行后，赶紧通知断后的外联制片协调其他车辆前去救援。半小时后联系上了一辆从攀枝花到成都的大巴车，跟司乘人员协商后，说服部分旅客让我们的人员和器材先行上车。

本以为此事就解决了，不一会儿又接到电话，说上车的时候，我们有三个人当时去买水，没有在原地等车，大巴车也不敢在高速路上久等，就开走了。而此时前面上车人员的火车票在后面摄影大助身上，后面没上车人员的身份证又在前面车上的行李箱里。再次联系其他车辆去救援后面的三个人，但他们已无法按时赶到火车站和我们一起上车了。

我火速来到火车站，赶紧找到值班站长，将情况告诉他，请他帮我们想想办法，最后同意我们先买张短途车票上车，到上海站出站时出示火车票就可以。原本下午3点就可以到达成都的大巴车，逾期一个小时都还没有到达成都。而没有身份证原件就无法购买实名制车票，焦急时刻，我果断做出决定，移动组和制片组人员到火车站进站口接应摄影组，列车发车前5分钟不管发生什么情况，全速往车上冲，此外安排小红帽提前将大家的行李搬运到火车上。

距离火车开车还有15分钟，摄影组人员终于带着器材和行李来到车站，我当即安排移动组负责搬运器材上车；制片场务负责拿行李；生活制片带人买车票；摄影组其他人员找出后面三人的行李到就近的小件寄存处存放；到了售票点才发现，副摄影师的身份证没有带在身上，又去找派出所值班室开具临时购票证明。等一切事情办完，还差5分钟发车。

全体人员一阵狂奔，发车前1分钟，人员和器材全部安全上车，后面三人也于当晚乘飞机赶到上海。正是这种为保证拍摄，不抛弃、不放弃、坚持到最后一分钟的团队协作，才让我们有了克服一切困难的勇气和决心。

心跳加速三：杀青。

《后会无期》原定于5月24日完成东极岛上的拍摄，5月25日转场回沈家门，5月26日在沈家门完成最后一天的拍摄就地杀青。为此我们提前做了大量的准备，敲定了主要演员的时间，联系好了拍摄的场地，确定了关机宴的时间、地点，协调好了参加演出的 80 名群众演员。但是意想不到的事情还是发生了。24 日一早接到气象通知，未来三天海上将会出现 8~9 级的台风，登陆艇无法靠岸，我们的器材车无法运出岛，唯一的客轮装载有限，无法将我们所有的工作人员及器材送出去。

眼看拍摄计划就要落空，24 日晚上和几个主创人员商量后，临时决定 25 日带上拍摄需要的所有器材包客船出海，确保最后一天的拍摄能够顺利进行。25 日一早来到码头，海面上大雾弥漫，能见度不足10 米，那么恶劣的天气，不知道船能否按时到达。好在老天开眼，中午出现了一丝阳光，船也如期到达，赶紧组织人员装船出发。当船驶出避风港后，我们瞬间感觉到大海的威力，人在船上根本无法站立，几分钟后晕船的就出现了一大片，有抱着船甲板吐的；有跪坐在厕所边上晕的；有躺下不能动弹的；甚至还有几个船员也在旁边呕吐。我只好来回走动去安慰他们，当然也只能是语言上的，因为我也快不行了，好在我们都坚持下来了，挑战了自我。

26 日的拍摄如期完成，电影顺利杀青，关机宴准时举行，但我悬着的心仍然没有放下。当得知最后一艘登陆艇安全靠岸时，悬着的心才彻底放下，给自己满满地斟上三杯酒：第一杯酒敬了制片人和导演，是你们对我的信任，给了我这次施展才能的机会；第二杯酒敬了剧组各部门同人，是我们的团结协作，才是这部电影顺利完成的保证；第三杯酒敬了制片部门的所有兄弟姐妹，有你们的支持和帮助，才增强了我克服一切困难的勇气和决心。

回想起这十个月的剧组生活，将是我永生难忘的美好回忆，我爱你——《后会无期》剧组。

01 东极岛外渔船 / by 李佳鸢

01　荒漠上行走的牛群 / by 李佳鸢

少年光 /

拍摄

剧组宣传统筹 / 张冠仁 /

无论你把环境调节得如何黑暗，

无论你怎样躲避，那道光始终都在。

一、

2014 年 2 月 27 日凌晨 2 点，火车穿行于湖南或者四川某地，整节餐
车里只剩下我们剧组。导演行政统筹于梦在切香肠，刀小肠短，人多
口杂，为了保证十几个人人手一份，他尽力把这条 5 厘米的香肠切得
均匀。一个大男人垫着小小的餐巾纸，捉襟见肘，看着颇有喜感。

剧组刚刚结束连续六天的大夜戏拍摄，百十来号人连夜坐上了火车，
从上海开赴成都。这是我们万里转场第一站，疲惫又兴奋。车厢里所
有人都睡了，只有地毯灯亮着，安静得很，只听见灯光组二哥非常有
节奏的打鼾声，窗外漆黑一片，只有大地上星星点点的火光忽明忽灭。
2014 年 5 月 26 日，游船从舟山沈家门鲁家峙码头开出，幽然航行于

东海。我和于梦在甲板忽然听到船舷甲板上传来掌声与欢呼，导演宣布《后会无期》最后一个镜头拍摄完成。纪录片摄影刘玺抓下了这个镜头，可是因为激动，镜头晃动。于梦提议："这个历史时刻，我们要记录一下。"可是放眼船舷之外，云水弥漫，远处叫不出名字的岛屿被雾气笼罩，很遗憾，我们不知道确切的地理位置。于是，我们只能这么记录：18 点 06 分，《后会无期》杀青于茫茫东海。

2014 年 7 月 10 日，凌晨 0 点 43 分，北京七棵树画林映像公司，韩寒宣布修改完最后一个地方。而在 6 个小时之前，出品人兼制片人方励第一次看完合成之后的初剪片（之前他强忍着不看），激动地冲进工作间，他抱住韩寒泪流满面，感动不已。

2014 年 7 月 8 日，画林映像 4K 播放厅看样片，导演需要修改声音上的最后几个瑕疵。当所有黑暗把你包裹起来，眼前巨大的屏幕上播放刚调完色的《后会无期》，光阴在幕布上斑驳流动的影子让我想起这些画面，以及柏拉图在《理想国》里的著名的"洞穴"隐喻：

洞穴人始终被束缚住手脚，终日只能观看眼前人造的稀薄虚假影像度日，他们安分守己，以为这就是世界。而终于有一个年轻人决定挣脱枷锁，出去走一走，看见了真实世界，他欢呼着把这个信息带给伙伴们，而洞穴人们以为他是疯子，把他杀了。

这是先知冒险者们的普遍命运，也是电影对于他人生活的意义，更像是所有文明传播的路径。

二、

当放映机开始运转，那道高于你的头顶的光就会射穿黑暗，穿过一段暧昧不清的距离，将一段封闭时空投放在你眼前，骄傲的光束裹杂了空气中的飞尘。

对于电影迷来说，如果世间真的存在天堂，那也许就是电影院的样子吧。

只是，放映员说要有光，于是便有了光。

作家格非曾经在一篇文章中提及这束神奇之光，这是他年少时对露天电影的记忆。全村人最希望看见的就是跑片员，他们骑着车把电影拷贝送到每一个村落每一个小镇，于是全村人的节日开始了。如果上一本胶片播放完，下一本迟迟还没送到，那么节日就成了末日。如果把视线和镜头拉得更远一些，那些在60年代中国广袤大地上奔跑的年轻男人们就是一束束流淌着的电影之光。

在电影中不断出现的"旅行者一号"卫星，它也是一道光，它像一个励志故事一样，冲出平凡的世界，最后孤独地漂流。它像一个关于自由的隐喻，而那些消费它追随它的旅行者二号们，他们口口声声要"年轻人改变世界观，多走出去看看"，但是最后不过证明是一个偷车贼，就像电影中的那个旅行者阿吕。

2014年7月7日，朴树《平凡之路》demo刚出来，韩寒很高兴，不断要求再听一遍。于是每天去七棵树做后期的路上，车载音响不停反复播放这首歌，我们就这么一路听着心里高兴，觉得身上长出盔甲，吃了大力丸，几十公里之外的东坝瞬间可达，回到了20岁出头的时光。

这首歌歌词说的却是人生无论如何千山万水，最终通向的不过是一条平凡之路。这是马浩汉和旅行者一号的结局，也是世间大部分人如你我的结局。

1953年出生的制片人方励是《后会无期》剧组里年纪最大的之一。第一次见面的时候，这个拍过《颐和园》的制片人就给我们这些第一次拍电影的年轻人打气，说："我特别反感'养生'这个词，生命就是用来燃烧的，当这一切结束之后的某一天，我们在座的所有人的名字能够同时出现在一部电影里那将是永恒的。"

他是性情中人。电影快完成的这段时间里，他微信朋友圈里忽然多了许多对人生的感悟，以"老方我蜡烛所剩无多……"开头，此前一片空白的头像也曾换上了年轻时候的照片，又很快换成一束光芒被黑暗包裹，但依然执着发亮的照片。

三、

拍电影很早就是韩寒的梦想。听他自己说好几年前，在台湾某一个五星级酒店大堂里，他为了向某投资人展示自己拍好电影的信心，指着十几个电梯说自己能猜中所有电梯停靠的楼层。对方自然不信说只要他猜中，就给他投，而结果就是尽管他猜中了所有电梯，却没有猜来资金。

那时候，国产电影还没有迎来今天这般的风光，大部分人都在泥泞中前行，韩寒也在前行，只是他开赛车前行。不过泥泞之中，无论步行还是车行，最后结果都是不行。

此时资本市场冷酷到需要一个第一次拍电影的年轻人用猜电梯的方式获取资本，不，仅仅只是接近资本。

而短短几年之后，依然还没拍过电影的韩寒却成了资本们追逐的对象。资本们开口就是："我要和你签约，你帮我拍十部片子！"

作家张悦然说，韩寒是她见过变化最少的人。而在我眼里，韩寒骨子里始终是那个上海亭林镇亭东村村头热爱摩托喜欢追风每天要洗头的不羁少年。在界定少年的标准里，最重要的一条就是义气。

在电影后期阶段，大概是猜到了他想马上回归赛车场的心思，不断有赛车商业比赛的邀约。而他在电话里直接回绝对方，理由是作为一名职业赛车手，半年多没有回归车队参加比赛，绝不能一复出就以私人身份参加商业比赛。

在我印象中，他很少直接拒绝别人的要求。更多的时候，他总会考虑对方处境，以一种舒缓而略带迟疑暧昧的方式让对方知难而退。我也不知道这到底是他的个性使然，还是天秤座，抑或是救世主情结。

在片场，他会为了照顾演员的自尊心，凑近对方耳朵小声地交流，声音之小距离之近令人发指。开始我们以为他只对女演员这样，后来才发现其实男演员也难逃魔掌。

细心和不羁是他性格的双面，在片场他总是细心地照顾别人的感受，比如新司机不认识上海的路，南辕北辙绕到了几十公里之外。车停下来，他只说："我也很久没来外滩了，看看挺好。"他的细心也从不耽误他不断的丢三落四。他曾在同一个飞机场同一个书报亭丢过不下三回箱子。在片场，他还把副摄影师小白的钱包揣兜里，花光了小白的钱，还导致小白差点没赶上我们大部队南来的火车。此外，电影拍摄期间，韩寒弄丢了大量手机充电器、充电线，而且绝大部分都是别人的。

他非常讨厌束缚，讨厌被固定在某一个地方。在片场，只要有机会就会不停地走动，我们都知道这是他思考的方式，所有人都会避让出一条线路让他自由地移动着思考。

2013 年 8 月，他曾经对我讲过电影故事雏形，那是一个小岛上少年们不安分守己想去远方的故事。从上海出发，穿过 320 国道，抵达国境边缘的云南瑞丽。这大概是一条中国的 66 号公路，在这条全长 4090 公里的公路上，他想拍出《在路上》的感觉。在那个故事里，很有点少年青衫磊落驾车行的意思。

这个最初版本里，电影是从水面里浮现半个屁股开场。这是他几年前，韩小野刚刚出生的时候，和廖拟、于梦聊起来的电影开头。尽管那个十分钟的开头在电影成片里看不到了，但是那道指引着江河、马浩汉、胡生们无畏前行的光芒依然在那里。

四、

2014 年 5 月份的某天，东极岛难得阳光明媚。摄制组已经被阴雨和大雾压抑了许久，所以全部激动地跑到由美术组搭建的三栋道具房子处。从这块岛上高地往下望，黄昏港湾，远处海面上星星点点，空气里折射着透明略带玫瑰色的光泽。

这种光，我们曾经在西昌红土高原的七里坝，天高邈远的博什瓦黑，五月降雪的内蒙古翁牛特旗，甚至在冬雨霏霏的二月上海，都不曾见到过，但是那么熟悉和似曾相识，仿佛一早就在这里等待着我们。这是东极岛上二十多天来最美好的记忆。

韩寒把 *The end of the world* 原曲改编，写了歌词，成了电影主题曲。原唱歌手 Skeeter Davis 却能在这首伤心的歌曲里唱出纯真与治愈。这个从亭林镇来的少年，在青春的开端追风而行，也许终会有一天他跑过了风，不过我猜他多半追不上。

和风相比，光更难以琢磨。逐光是一段悲壮的旅程，每一个电影人就是勇敢追逐那道光的夸父，昔有夸父逐日，今有岳父追光……

每一个电影镜头，只是接近那一束光的尝试。世间所有光芒都是一场远行，它们从太阳出发，只是为了去未知的地球看一眼。

文字、赛车、电影，这一切，也许就像西行火车上看见的大地上忽明忽灭的光。

时有涯而光无尽，电影是每一个少年心头追逐的那一束光。在电影面前，62 岁的制片人方励和 32 岁的导演韩寒都是少年。

2014 年 5 月 26 日，杀青晚宴上，韩寒向工作人员鞠躬致谢之后说："不需要大门向我们打开，因为我们自己就是钥匙。"

世间凡墙都是门，而只有光能打开一切。

最后，除了《大陆》，《光的深处》也曾是电影《后会无期》的名字。

自由的灵魂 /

撰写 / 小林武史 /

翻译 /Shirley Huang （黄美璇）/

以前常常从朋友，特别是岩井俊二导演那儿听到许多关于中国电影的事情。给我的感觉那是一群充满热血的年轻创作灵魂，他们是如此地富有活力和朝气。

正当我设想不知道将来会不会有机会能和这批年轻人合作的时候，《后会无期》电影剧组找到了我。基本上，我是属于长期性忙碌症的一员，但是这次摒除自己的日程，直觉地想多了解这次企划的内容。

韩寒是一位年轻作家出身的新导演，而方励则是资历丰富的制片人，这个组合非常吸引我。和他们取得联系之后，我决定前往上海。当然，这是和导演以及制片人的首次会面。

见面之后的印象和我当初预想的有些不同。我原本以为这会是比较刻板生硬的见面，但是没想到他们体贴周到为他人着想，而且思路非常灵活，即使我们是通过翻译沟通，但是这依然不妨碍我们畅谈无阻，而且能聊及许多非常细致的话题。

说实话，这个印象让我出乎意料，于是我决定接下这个案子帮这部电影创作音乐。现在终于顺利地完成了这次的电影配乐工作，回想起来，我认为这都有赖导演的资质和才华。

第二次探班，我去了内蒙古赤峰拍摄现场。这是《后会无期》非常重要的场景之一，在这个地方，我捕捉到了电影的本质。

我带着非常简易的录音机、作曲用的电脑和一个很轻便的键盘来到内蒙古。所到之处的灵感我都会记录在随身携带的录音机里，等回到酒店之后再将它们变成音符；一些曲子的创作和编曲就是这么做出来的。趁着拍摄的空当，我将做出来的音乐雏形以及旋律放给导演听，就是这样反复沟通让我们一步步找到整体方向。我认为收获匪浅。

其实，这部电影的主题曲也就是在赤峰创作出来的。在内蒙古赤峰拍摄的时间除了和导演反复沟通之外，和制片人、演员他们一起进餐的时候，我们之间的谈话给了我许多的想象空间和创作素材。因为这部电影的恢宏气势和庞大规模，而同时电影还需要呈现不同类型的幽默、诙谐和反应力，我都利用这个机会拓宽自己的想象进行创作。

这个场面和 90 年代日本岩井俊二导演一起创作的《燕尾蝶》很类似，但是这次的电影《后会无期》可不仅仅只是强调个人风格，我认为它是一部具备相当程度的艺术天分和引人深思的情节，同时也满足了娱乐性质的电影。

而音乐不应该只是简单地用音色旋律来渲染电影，我想音乐是组成电影的各个元素中所需要的之一。

而浓缩在一个旋律里的便是电影的主题曲。这首曲子是在访问内蒙古期间就已经有了雏形，而等主题曲确定了，之后整体创作的方针便确定下来。

之后，我也数次访问中国，回到东京之后进录音棚创作，将反复修改出来的曲子再回送给导演，双方持续不间断的沟通。

依照曲风，我使用不同的钢琴演奏，同时也创作了很多其他旋律。虽然都是较短的曲子，但是一部电影里能够有这么多不同的音符存在，我感觉有点不可思议。

在之前提到的《燕尾蝶》中，音乐所采用的手法是制造出一个虚构的乐团"Yen Town Band"或者"Lily Chou-Chou"，我认为他们都是为了追求和探索一个未知的世界，并为感受其中的喜悦和期待而活着。而电影里架空的城市 Yen Town，不仅有日文、中文，还有虚拟世界的交错，营造出那样一个不可思议的空间。即便那是一个无国籍的世界，甚至说较低阶层的世界吧，但是我想它依然会让那些拥有自由灵魂的人，去探索追求，并且对砌筑的未来心怀希望。

当我和这部电影相遇时，我感觉到心灵之间似曾相识的那种能量。不光是与导演韩寒，包括制片人方励，包括所有工作人员身上的这股能量。我想这正是创作者所需要的"灵魂"。

这部电影里的主角们，一路旅行一路迷失，寻找着各自的理想国，反复相见和告别。至于结局究竟是去了哪里，这部电影已经交给观众来评断了。而我认为，这是最好的方式了。

我从心底里感谢能够参与《后会无期》的制作。除了能够更深层次地感受中国的浩瀚和深奥，我想最为难得的是，能以这种方式和新一代年轻人进行思想接触，非常新鲜，也很有启发。对我个人来说，包括没有被采用的乐曲在内，我很开心能够为这部作品创作出这么多的音符以及旋律。其中有许多的曲子如果不是通过这么多次的探班沟通，它们可能就不会存在。

最后我想要感谢 Shirley，无论是在任何场面帮我翻译，还是在日程
细节安排上，她都始终如一地准确计算并耐心沟通。如果没有她对于
创作的理解，以及精准的翻译，我想我真的无法对《后会无期》做出
任何的贡献。真的谢谢你！

01

01　猜猜看战地记者韩寒拍到了什么？ / by 于梦

02　导演正在慢慢走近演员 / by 于梦

03　武陵隧道内王珞丹与陈柏霖 / by 于梦

关于录音，我有话要说 /

声音

录音师 / 郭明 /

"这是我拍片以来同期录音最好的一次……"

冯绍峰的这句肯定让我感到这一百多天的努力没白费，一切的辛苦、一切的不被理解都随之烟消云散。

电影录音，一个在行外不了解，行内不理解的职业，却被我作为这一生的归宿。无数次听到怀疑同期录音的作用的言语，其中还包括声音制作者本身的。在全部后期的今天，同期还有那么重要吗？但一个坚定的信念告诉我：现场创作，是必不可少的。精彩的细节，往往会来自现场。演员的台词随着表演的进行会有不同的节奏，会有不同的情绪，会有不同的音调，这都需要我们仔细地记录下来。为了保证这最起码的对白可以录得清楚，不惜和各个部门不停地沟通交流，甚至矛盾冲突。道理很简单，我们深知，一个演员在现场全心投入表演进入角色所说出来的对白，是无论如何在棚里面对一个粗糙的工作画面所无法表现到完全一致的。每个场景，都有它特有的气质，包括声音特质。一盏霓虹灯的嗡嗡声、持续在洗手间角落的滴水声，马上就可以把我们带入在转角遇到爱的路边小旅馆，温存且潮湿；风沙敲打铁皮房的声音，凛冽的风声让我们感受到浩瀚的气愤和江河的无奈。这一切的感受都是画面所很难表现出来的，都需要录音师记录下所有的声音细节。

比江河更无奈的，就是录音师所做的工作。做后期声音编辑的时候，一位组里的好友聊天说："我觉得你特别温和、好脾气，满满的正能量。"其实我每天面对的，就是无数的纠结，所能影响录音的因素比抛弃银河的繁星还要多，拍摄周边的环境，不明就里的围观群众，剧组各部门的器材，甚至现场照相机的快门声都不能保证录到满意的素材。随便一声不需要的噪音，都会成指数地放大后期剪辑的工作量和时间。同期录音师，每天面临的就是这样的境遇。这就是现实，真正首先要处理的就是自己的情绪，积极地接受现实，调整自己的心态，倾尽所能去沟通，去努力，去想办法，去创造。真正解决问题的前提，就是平静的心。

除此之外，还有一个原因让我久久不能让心情平静下来，就是录音师掌握着太多的秘密。嘴巴严是录音师的职业素质之一，往往为了录下更好更清楚的对白，演员身上都装有一个小巧的无线话筒，可以近距离录制说话，并通过无线发射接收到录音机进行实时监听。正因为很小巧，所以在拍摄间隙往往演员都忘记自己身上还有话筒，这给了我们一个探听家长里短、聊天八卦等各种小秘密的机会。由于嘴巴严，我不会说其实我跟导演共用的是一路耳机线路，我也不说他听到陈柏霖和冯绍峰闲暇时讲笑话而打断拍摄参与其中了，更不会说韩寒没事就喜欢把耳机戴腰上、把头枕当背包之类的逗比事了……

对的，我就是录音师，郭明，敬业。

互相吹捧的日子 /

剪辑指导 / 肖洋

2014 年 3 月 6 日，收到韩寒短信一条。简单而节制的吹捧之后，邀我为他新片担任剪辑指导。

我这么爱慕虚荣的人，立刻就答应了，并对他报以隐忍的赞美，完全忘了自己的时间可能和他片子的档期对不上。

这是我们的头一次联络，大家在互相吹嘘上感觉还放得不是太开，点到即止，用词保守，多是"特别佩服你的电影才华"与"我觉得你做的事儿很带劲"之类犹抱琵琶半遮面的程度。

但我隐隐觉得有些不安，因为这种一上来就拍马屁的情况以前只发生在我和妹子之间。他似乎也觉得打开的方式不太对，扔下一句"我进山了"就草草结束了交谈。

4 月 4 日，他的剧组转回上海拍摄，我去上海与他见面。见着活的国民岳父，我很兴奋，因为他没照片上那么帅，而且还穿了一条屁股上有洞的裤子，与场工兄弟们融为一体，浑然天成。吃饭时我们继续互相吹捧，由于是面对面，这次的程度就有所放开，也更精准，比如他夸我"你长得真有福相"，我夸他"你裤子挺潮"。饭后他为我介绍了他的夫人 Lily 和韩小野。由于矜持，我没跟小野求合影，一直后悔至今。

5 月 30 日，剧组杀青转回北京做后期。由于必须赶在 7 月 24 日上映，留给我的时间非常紧张。虽说剪辑师张为倢在组里已经做了很多工作，但如此短的时间之内定剪对我来讲也是空前的。由于紧张，我们没顾得上互相吹捧，我只是告诉他，要想按期完成，导演刚开始不要进剪辑房，那样会耽误剪辑师的工作。我尽量说得委婉，因为做导演的人也许很难接受这个。没想到他一口答应，还告诉我："大胆剪吧！不要心疼素材！"

不眠不休的五天后，第一稿精剪出炉。韩 Sir 带着憋坏了的表情飞奔进剪辑房，如狼似虎地看完了精剪。把 124 分钟的片子剪到 94 分钟，我下了狠手，也准备了一大堆说辞和方法准备安抚抓狂的新导演韩寒。片尾最后一个画面淡出，音乐停止，影片结束。韩寒转过头，长出一口气，眼神直勾勾盯着我。

我说："这个，其实……"

"太好了，很好！我很喜欢！"

我还没反应过来，就被狂风骤雨般的吹捧淹没。我挣扎着胡乱反击。
他夸"剪辑节奏明快，一击致命"，我夸"此片骨骼清奇，价值观前
所未见"；他夸"不愧是华语界第一"，我回"不愧是导演界最帅"。
双方激动之下节操尽失，毫无尺度，要不是周围有人，局面估计很难
收拾。

接下来的后半程，韩寒就驻扎在了剪辑室，进行细节上的调整和素材
上的选择。其间，有个女孩来看片，带了一大堆咖啡来请我们喝。后
来有一天我在网上看到"韩寒酒店私会女演员"的八卦新闻。我想，
人还是得长得帅，要不然明明那天房间里有五个爷们儿，凭啥只有韩
寒上了新闻头条？

定剪完毕，我们相互吹捧的日子也告一段落。看到媒体上关于这片子
越来越热烈的讨论，有时候我会想，为什么我会来剪这部片子？时间
明明不够。为什么他会同意我那么多过分的要求？明明他也有其他的
选择。为什么我们能一直愉快地互相吹捧？明明在过程中也有意见相
左的时候。

——也许因为原野太辽阔了，草原狼找到自己的同类并不是件容易的事。所以当风带来一缕熟悉的味道时，它们总会兴奋地昂首远眺，互相发出善意的嚎叫。然后，没有任何中间过程，它们就能建立起深刻的信任，它们一起在原野与河流之间合作狩猎，一起奔跑在无尽的阳光里，然后在下一个雨季来临前分道扬镳。这样的事情，很美好。

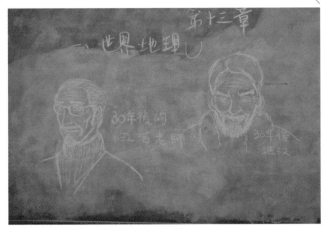

01　这是陈柏霖助理怪兽的手绘作品

/ by 刘玺

01 　不，这并不是柏霖踩到蛇了，而是赤峰的沙漠让他非常兴奋 / by 于梦

　赤峰翁牛特旗看景合影左起：现场制片陈宏海、摄影师廖拟、导演韩寒、现
场副导演刘作涛、导演行政助手于梦 / by 刘宗亮

Till then / part 3

分镜表

摄影师手绘 / 分镜

01

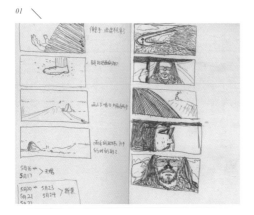

02

分镜表

分镜师手绘 / 分镜

分镜表

摄影师手绘 / 分镜

04

分镜表

《后会无期》分镜　　导演：韩寒　摄影：廖拟　分镜绘制：王溥

2014.1.上海

Till then / part 3

大事记

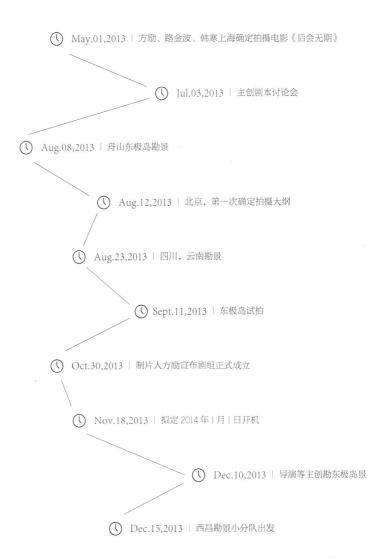

May.01,2013 | 方励、路金波、韩寒上海确定拍摄电影《后会无期》

Jul.03,2013 | 主创剧本讨论会

Aug.08,2013 | 舟山东极岛勘景

Aug.12,2013 | 北京，第一次确定拍摄大纲

Aug.23,2013 | 四川，云南勘景

Sept.11,2013 | 东极岛试拍

Oct.30,2013 | 制片人方励宣布剧组正式成立

Nov.18,2013 | 拟定 2014 年 1 月 1 日开机

Dec.10,2013 | 导演等主创勘东极岛景

Dec.15,2013 | 西昌勘景小分队出发

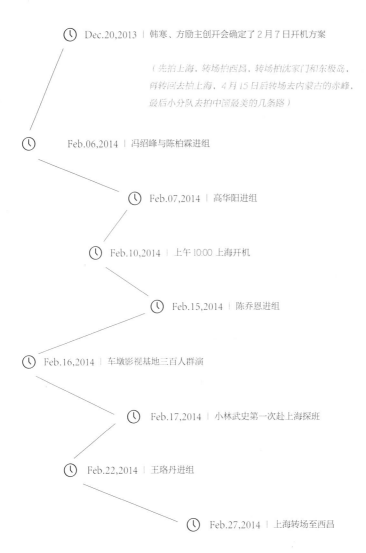

Dec.20,2013 | 韩寒、方励主创开会确定了 2 月 7 日开机方案

（先拍上海，转场拍西昌，转场拍沈家门和东极岛，
再转回去拍上海，4 月 15 日后转场去内蒙古的赤峰，
最后小分队去拍中国最美的几条路）

Feb.06,2014 | 冯绍峰与陈柏霖进组

Feb.07,2014 | 高华阳进组

Feb.10,2014 | 上午 10:00 上海开机

Feb.15,2014 | 陈乔恩进组

Feb.16,2014 | 车墩影视基地三百人群演

Feb.17,2014 | 小林武史第一次赴上海探班

Feb.22,2014 | 王珞丹进组

Feb.27,2014 | 上海转场至西昌

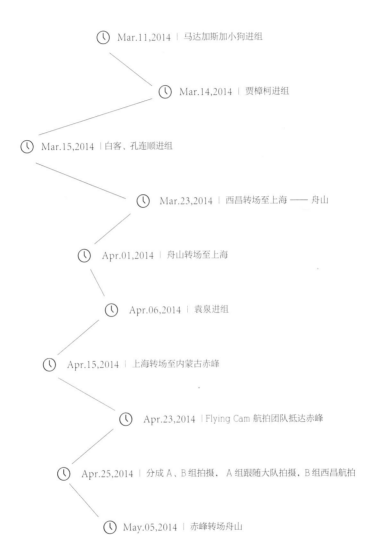

Mar.11,2014 ｜ 马达加斯加小狗进组

Mar.14,2014 ｜ 贾樟柯进组

Mar.15,2014 ｜白客、孔连顺进组

Mar.23,2014 ｜ 西昌转场至上海 —— 舟山

Apr.01,2014 ｜ 舟山转场至上海

Apr.06,2014 ｜ 袁泉进组

Apr.15,2014 ｜ 上海转场至内蒙古赤峰

Apr.23,2014 ｜Flying Cam 航拍团队抵达赤峰

Apr.25,2014 ｜ 分成 A、B 组拍摄，A 组跟随大队拍摄，B 组西昌航拍

May.05,2014 ｜ 赤峰转场舟山

May.08,2014 ｜ 舟山转场东极岛

May.22,2014 ｜ 东极岛停机坪完成 150 名群演大舞台的戏

May.26,2014 ｜ 18:06 分《后会无期》杀青于茫茫东海之上

May.29,2014 ｜《后会无期》宣布定档 7 月 24 日上映

Jun.10,2014 ｜《后会无期》全片定剪

Jun.13,2014 ｜《后会无期》所有电脑特效制作完成

Jun.25,2014 ｜《后会无期》后期调色完成

Jun.28,2014 ｜ 小林武史先生电影配乐完成

Jul.01,2014 ｜《后会无期》 全片英文对白字幕定稿

Jul.05,2014 ｜《后会无期》声音终混完成

Jul.09,2014 ｜《后会无期》全片通过内容审查技术审查，获得公映许可证

Jul.10,2014 ｜ 0:43 分 韩寒宣布后期工作结束

Jul.21,2014 ｜ 北京首映礼

Jul.24,2014 ｜《后会无期》全国公映